LIBERTY BAR

Georges Simenon, écrivain belge de langue française, est né à Liège en 1903. Il est l'un des auteurs les plus traduits au monde. À seize ans, il devient journaliste à *La Gazette de Liège*. Son premier roman, publié sous le pseudonyme de Georges Sim, paraît en 1921 : *Au pont des Arches, petite histoire liégeoise*. En 1922, il s'installe à Paris et écrit des contes et des romans populaires. Près de deux cents romans, un bon millier de contes et de très nombreux articles sont parus entre 1923 et 1933... En 1929, Simenon rédige son premier Maigret : *Pietr le Letton*. Lancé par les éditions Fayard en 1931, le personnage du commissaire Maigret rencontre un immense succès. Simenon écrira en tout soixante-quinze romans mettant en scène les aventures de Maigret (ainsi que vingt-huit nouvelles). Dès 1931, Simenon commence à écrire ce qu'il appellera ses « romans durs » : plus de cent dix titres, du *Relais d'Alsace* (1931) aux *Innocents* (1972). Parallèlement à cette activité littéraire foisonnante, il voyage beaucoup. À partir de 1972, il cesse d'écrire des romans. Il se consacre alors à ses vingt-deux *Dictées*, puis rédige ses *Mémoires intimes* (1981). Simenon s'est éteint à Lausanne en 1989. Il fut le premier romancier contemporain dont l'œuvre fut portée au cinéma dès le début du parlant avec *La Nuit du carrefour* et *Le Chien jaune*, parus en 1931 et adaptés l'année suivante. Beaucoup de ses romans ont été portés au grand écran et à la télévision. Les différentes adaptations de Maigret ou, plus récemment, celles de romans durs (*La Mort de Belle*, avec Bruno Solo) ont conquis des millions de téléspectateurs.

Paru dans Le Livre de Poche :

L'Affaire Saint-Fiacre
L'Ami d'enfance de Maigret
L'Amie de Madame Maigret
Au Réndez-Vous des Terre-Neuvas
Les Caves du Majestic
Le Charretier de la Providence
Chez les Flamands
Le Chien jaune
La Colère de Maigret
La Danseuse du Gai-Moulin
L'Écluse n° 1
La Folle de Maigret
Le Fou de Bergerac
Les Grandes Enquêtes de Maigret
La Guinguette à deux sous
Maigret
Maigret à l'école
Maigret à New York
Maigret à Paris
Maigret a peur
Maigret à Vichy
Maigret au Picratt's
Maigret aux assises
Maigret chez le coroner
Maigret chez le ministre
Maigret en Bretagne
Maigret en mer du Nord
Maigret en meublé
Maigret et l'affaire Nahour
Maigret et l'homme du banc
Maigret et l'homme tout seul
Maigret et l'indicateur
Maigret et la Grande Perche
Maigret et la jeune morte
Maigret et la vieille dame
Maigret et le client du samedi
Maigret et le clochard
Maigret et le corps sans tête
Maigret et le fantôme
Maigret et le marchand de vin
Maigret et le tueur
Maigret et le voleur paresseux
Maigret et les braves gens
Maigret et les petits cochons sans queue
Maigret et les témoins récalcitrants
Maigret et les vieillards
Maigret et Monsieur Charles
Maigret et son mort
Maigret hésite
Maigret, Lagnon et les gangsters
Maigret s'amuse
Maigret se défend
Maigret se fâche
Maigret se trompe
Maigret sur la Riviera
Maigret tend un piège
Maigret voyage
Les Mémoires de Maigret
Mon ami Maigret
Monsieur Gallet décédé
La Nuit du carrefour
L'Ombre chinoise
La Patience de Maigret
Le Pendu de Saint-Pholien
Pietr le Letton
La Pipe de Maigret
Le Port des brumes
La Première Enquête de Maigret
Les Premières Enquêtes de Maigret
Le Revolver de Maigret
Les Scrupules de Maigret
La Tête d'un homme
Un crime en Hollande
Un échec de Maigret
Un Noël de Maigret
Une confidence de Maigret
Les Vacances de Maigret
Le Voleur de Maigret

GEORGES SIMENON

Liberty Bar

PRESSES DE LA CITÉ

ISBN : 978-2-253-14252-2 – 1re publication LGF

1

Le mort et ses deux femmes

Cela commença par une sensation de vacances. Quand Maigret descendit du train, la moitié de la gare d'Antibes était baignée d'un soleil si lumineux qu'on n'y voyait les gens s'agiter que comme des ombres. Des ombres portant chapeau de paille, pantalon blanc, raquette de tennis. L'air bourdonnait. Il y avait des palmiers, des cactus en bordure du quai, un pan de mer bleue au-delà de la lampisterie.

Et tout de suite quelqu'un se précipita.

— Le commissaire Maigret, je pense ? Je vous reconnais grâce à une photo qui a paru dans les journaux... Inspecteur Boutigues...

Boutigues ! Rien que ce nom-là avait l'air d'une farce ! Boutigues portait déjà les valises de Maigret, l'entraînait vers le souterrain. Il avait un complet gris perle, un œillet rouge à la boutonnière, des souliers à tiges de drap.

— C'est la première fois que vous venez à Antibes ?

Maigret s'épongeait, essayait de suivre son cicérone qui se faufilait entre les groupes et dépassait tout le monde. Enfin, il se trouva devant un fiacre surmonté d'un taud en toile crème, avec de petits glands qui sautillaient tout autour.

Encore une sensation oubliée : les ressorts qui s'écrasaient, le coup de fouet du cocher, le bruit mou des sabots sur le bitume amolli...

— Nous allons d'abord boire quelque chose... Mais si !... Mais si !... Au *Café Glacier,* cocher...

C'était à deux pas. L'inspecteur expliquait :

— Place Macé... Le centre d'Antibes...

Une jolie place, avec un square, des vélums crème ou orange, à toutes les maisons. Il fallut s'asseoir à une terrasse, boire un anis. En face, une vitrine était pleine de vêtements de sport, de maillots de bain, de peignoirs... à gauche, une maison d'appareils photographiques... Quelques belles voitures le long du trottoir...

Un air de vacances, enfin !

— Préférez-vous voir d'abord les prisonnières ou bien la maison du crime ?

Et Maigret répondit sans trop savoir ce qu'il disait, comme si on lui eût demandé ce qu'il buvait :

— La maison du crime...

Les vacances continuaient. Maigret fumait un cigare que l'inspecteur lui avait offert. Le cheval trottait au bord de la mer. A droite, des villas étaient enfouies dans les pins ; à gauche, quelques roches, puis l'eau bleue piquée de deux ou trois voiles blanches.

— Vous vous rendez compte de la topographie ? Derrière nous, c'est Antibes... A partir d'ici commence le Cap d'Antibes, où il n'y a plus que des villas, surtout de très riches villas...

Maigret approuvait, béat. Tout ce soleil qui lui entrait dans la tête l'étourdissait et il clignait de l'œil vers la fleur pourpre de Boutigues.

— Vous avez dit Boutigues, n'est-ce pas ?

— Oui, je suis niçois... Ou plutôt nicéen !...

Autrement dit niçois pur jus, niçois au carré, au cube !

— Penchez-vous ! Vous voyez la villa blanche ? C'est là...

Maigret ne le faisait pas exprès, mais il regardait tout cela sans y croire. Il n'arrivait pas à se mettre dans une atmosphère de travail, à se dire qu'il était là par suite d'un crime.

Il est vrai qu'il avait reçu des instructions assez spéciales :

— Un nommé Brown a été assassiné au Cap d'Antibes. Les journaux en parlent beaucoup. Il vaudrait mieux qu'on ne fasse pas trop d'histoires !

— Compris !

— Brown a rendu, pendant la guerre, des services au 2e Bureau !

— Re-compris !

Et voilà ! Le fiacre s'arrêtait. Boutigues tirait une petite clef de sa poche et ouvrait la grille, piétinait le gravier de l'allée.

— C'est une des villas les moins jolies du Cap !

Ce n'était pourtant pas mal. Les mimosas saturaient l'air d'une odeur sucrée. Il y avait encore quelques oranges dorées sur de tout petits arbres. Puis des fleurs biscornues, que Maigret ne connaissait même pas.

— En face, c'est la propriété d'un maharadjah... Il doit y être en ce moment... A cinq cents mètres, à gauche, c'est un académicien... Puis il y a la fameuse danseuse qui est avec un lord anglais...

Oui ! Eh bien ! Maigret avait envie de s'asseoir sur le banc qui se dressait contre la maison et de sommeiller une heure ! Il est vrai qu'il avait voyagé toute la nuit.

— Je vous donne, en vrac, quelques explications indispensables.

Boutigues avait ouvert la porte et on pénétrait dans la fraîcheur d'un hall dont les baies s'ouvraient sur la mer.

— Il y a une dizaine d'années que Brown habite ici...

— Il travaille ?

— Il ne fait rien... Il doit avoir des rentes... On dit toujours : Brown et ses deux femmes...

— Deux ?

— En réalité, une seule était sa maîtresse : la fille... Une nommée Gina Martini...

— Elle est en prison ?

— La mère aussi... Ils vivaient tous les trois, sans domestique...

On ne s'en étonnait pas en voyant la maison, d'une propreté douteuse. Peut-être y avait-il quelques belles choses, quelques meubles de valeur, quelques objets ayant eu leur moment de splendeur ?

Tout cela était sale, en désordre. Beaucoup trop de tapis, de tissus qui pendaient ou qui étaient étalés sur des fauteuils, beaucoup trop de choses pleines de poussière...

— Maintenant, voici les faits : Brown avait un garage juste à côté de la villa... Il y mettait une auto démodée qu'il conduisait lui-même... Elle servait surtout à aller faire le marché à Antibes...

— Oui... soupira Maigret, qui regardait un pêcheur d'oursins fouillant, de son roseau fendu, le fond de l'eau claire.

— Or, pendant trois jours, on a remarqué que l'auto restait sur la route jour et nuit... Ici, les gens s'occupent peu les uns des autres... On ne s'est pas inquiété... C'est lundi soir que...

— Pardon ! nous sommes bien jeudi ?... Bon !

— Lundi soir, le boucher revenait avec sa camionnette quand il a aperçu la bagnole qui démarrait... Vous lirez sa déposition... Il la voyait de derrière... Il a d'abord cru que Brown était ivre, car il faisait de terribles embardées... Puis l'auto a roulé un moment en ligne droite... Tellement en ligne droite qu'au tournant, à trois cents mètres d'ici, elle a foncé en plein sur le rocher... Avant que le boucher soit intervenu, deux femmes étaient descendues et, entendant un bruit de moteur, elles se mettaient à courir vers la ville...

— Elles portaient des paquets ?

— Trois valises... C'était le crépuscule... Le boucher ne savait que faire... Il est venu ici, place Macé, où, comme vous pouvez le voir, il y a un agent en faction... L'agent s'est lancé à la recherche des deux femmes qu'il a fini par retrouver alors qu'elles se dirigeaient, non pas vers la gare d'Antibes, mais vers celle de Golfe-Juan, à trois kilomètres...

— Toujours avec les valises ?

— Elles en avaient jeté une en route. On l'a découverte hier dans un bois de tamaris... Elles se sont troublées... Elles ont expliqué qu'elles allaient voir une parente malade à Lyon... L'agent a eu l'idée de faire ouvrir les valises et il y a trouvé tout un lot de titres au porteur, quelques billets de cent livres et enfin des objets divers... La foule s'était amassée... C'était l'heure de l'apéritif... Tout le monde était dehors et a escorté les deux femmes jusqu'au commissariat, puis jusqu'à la prison...

— On a fouillé la villa ?

— Le lendemain à la première heure. D'abord on n'a rien retrouvé. Les deux femmes prétendaient qu'elles ne savaient pas ce que Brown était devenu. Enfin, vers midi, un jardinier a remarqué de la terre remuée. Sous une couche de moins de cinq centimètres, on découvrait le cadavre de Brown, tout habillé...

— Les deux femmes ?...

— Elles ont changé de musique. Elles ont prétendu que, trois jours auparavant, elles avaient vu l'auto s'arrêter et qu'elles s'étaient étonnées, parce que Brown ne la rentrait pas au garage... Il a traversé le jardin en titubant... Gina lui a crié des injures par la fenêtre, le croyant ivre... Il est tombé sur le perron...

— Mort, bien entendu !

— Tout ce qu'il y a de plus mort ! Il a reçu un coup de couteau par-derrière, juste entre les omoplates...

— Et elles ont vécu trois jours avec lui dans la maison ?

— Oui ! Elles ne donnent aucune raison plausible ! Elles prétendent que Brown avait horreur de la police et de tout ce qui y ressemble...

— Elles l'ont enterré et sont parties avec l'argent et les objets les plus précieux !... Je comprends l'auto sur la route pendant trois jours... Gina, qui ne sait pas très bien conduire, a hésité devant la manœuvre à faire pour pénétrer au garage... Mais dites donc ! il y avait du sang dans la voiture ?

— Pas de sang ! Elles jurent que ce sont elles qui l'ont effacé...

— Et c'est tout ?

— C'est tout ! Elles sont furieuses ! Elles demandent qu'on les relâche...

Le cheval du fiacre hennissait, dehors. Maigret n'osait pas jeter son cigare, qu'il n'avait pas le courage de fumer jusqu'au bout.

— Un whisky ? proposa Boutigues en avisant une cave à liqueurs.

Non, vraiment, cela ne sentait pas le drame ! Maigret faisait un vain effort pour prendre les choses au sérieux. Etait-ce la faute au soleil, aux mimosas, aux oranges, au pêcheur qui visait toujours des oursins à travers trois mètres d'eau limpide ?

— Vous pouvez me laisser les clefs de la maison ?

— Bien entendu ! Du moment que c'est vous qui prenez l'enquête en main...

Maigret vida le verre de whisky qu'on lui tendait, regarda le disque qui se trouvait sur le phonographe, tourna machinalement les boutons d'un appareil de T. S. F. et on entendit :

— ... blés à terme... novembre...

A ce moment, juste derrière l'appareil, il avisa un portrait qu'il saisit pour le regarder de plus près.

— C'est lui ?

— Oui ! Je ne l'ai jamais vu vivant, mais je le reconnais...

Maigret arrêta l'appareil de T. S. F., avec un rien de nervosité. Quelque chose s'était déclenché en lui. L'intérêt ? Plus que cela !

Une sensation confuse, assez désagréable, d'ailleurs ! Jusque-là, Brown n'avait été que Brown, un inconnu, étranger presque à coup sûr, qui était mort dans des circonstances plus ou moins mystérieuses. Personne ne s'était demandé ce qu'il avait pensé durant sa vie, quelle avait été sa mentalité, ni ce qu'il avait souffert...

Et voilà qu'en regardant le portrait, Maigret était troublé, parce qu'il avait l'impression de connaître le personnage... Pas même de le connaître pour l'avoir déjà vu...

Non ! Les traits lui étaient indifférents... Une face large d'homme bien portant, plutôt sanguin, aux cheveux roux assez rares, à la petite moustache coupée au ras de la lèvre, aux gros yeux clairs...

Mais il y avait quelque chose, dans l'allure générale, dans l'expression, qui rappelait Maigret lui-même. Une façon de tenir les épaules un peu rentrées... Ce regard exagérément calme... Ce pli à la fois bonhomme et ironique des lèvres...

Ce n'était déjà plus Brown-le-cadavre... C'était un type que le commissaire avait envie de connaître davantage et qui l'intriguait.

— Encore un coup de whisky ? Il n'est pas mauvais...

Boutigues rigolait ! Il fut tout étonné de voir un Maigret qui ne répondait plus à ses plaisanteries et qui regardait autour de lui d'un air absent.

— Si on offrait un verre au cocher ?

— Non ! nous partons...

— Vous ne visitez pas la maison ?

— Une autre fois !

Quand il serait seul ! Et quand il n'aurait plus le crâne bourdonnant de soleil. En rentrant en ville, il ne parla pas, ne répondit que par des signes de tête à Boutigues, qui se demandait en quoi il avait pu manquer à son compagnon.

— Vous allez voir la vieille ville... La prison est tout près du marché... Mais c'est surtout le matin qu'il faut...

— A quel hôtel ? questionna le cocher en se retournant.

— Voulez-vous être en plein centre ? demanda Boutigues.

— Laissez-moi ici ! Cela fera mon affaire...

Il y avait un hôtel genre pension de famille, à mi-chemin du Cap et de la ville.

— Vous ne venez pas à la prison ce soir ?

— Demain, je verrai...

— Voulez-vous que je vienne vous prendre ? D'autre part, si, après dîner, vous désiriez aller au casino de Juan-les-Pins, je...

— Merci... J'ai sommeil...

Il n'avait pas sommeil. Mais il n'était pas en train. Il avait chaud. Il était moite. Dans sa chambre qui donnait sur la mer, il fit couler l'eau dans la baignoire, changea d'avis, sortit, la pipe aux dents, les mains dans les poches.

Il avait entrevu les petites tables blanches de la salle à manger, les serviettes en éventail dans les verres, les bouteilles de vin et d'eau minérale, la bonne qui balayait...

— Brown a été tué d'un coup de couteau dans le dos et ses deux femmes ont tenté de s'enfuir avec l'argent...

Tout cela était encore bien flou. Et malgré lui il regardait le soleil qui, du côté de Nice, dont la Promenade des Anglais était marquée par une ligne blanche, plongeait lentement dans la mer.

Puis il fixait les montagnes aux sommets encore blancs de neige.

— Autrement dit, Nice à gauche, à vingt-cinq kilomètres ; Cannes à droite, à douze kilomètres... La montagne derrière et la mer devant.

Il bâtissait déjà un monde dont la villa de Brown et de ses femmes était le centre. Un monde tout gluant de soleil, d'odeurs de mimosas et de fleurs sucrées, de mouches ivres, d'autos glissant sur l'asphalte mou...

Il n'eut pas le courage de marcher jusqu'au centre d'Antibes, à peine distant d'un kilomètre. Il rentra à son hôtel, l'*Hôtel Bacon*, demanda au téléphone le directeur de la prison.

— Le directeur est en vacances.

— Le sous-directeur ?

— Il n'y en a pas. Je suis tout seul.

— Eh bien ! tout à l'heure, vous me ferez amener les deux prisonnières à la villa.

Le gardien, lui aussi, à l'autre bout du fil, devait être dans le soleil. Peut-être avait-il bu des anis ? Il oublia de demander des garanties administratives.

— Ça va ! Vous nous les rendrez ?...

Et Maigret bâilla, s'étira, bourra une nouvelle pipe. Or, cette pipe n'avait pas le même goût que d'habitude !

— Brown a été tué et les deux femmes...

Il s'en alla à pied, tout doucement, vers la villa. Il revit la place où l'auto avait heurté le rocher. Il faillit rire. Car c'était bien l'accident qui devait fatalement arriver à un conducteur novice. Quelques zigzags avant de se mettre en ligne droite... Et, une fois en ligne droite, l'impossibilité de tourner...

Le boucher qui arrivait derrière, dans la demi-obscurité... Les deux femmes qui se mettaient à courir avec leurs valises trop lourdes et qui en abandonnaient une en chemin...

Une limousine passa, conduite par un chauffeur. Dans le fond, un visage asiatique : sans doute le maharadjah... La mer était rouge et bleue, avec une transition orangée... Des lampes électriques s'allumaient, encore pâles...

Alors, Maigret qui était tout seul dans ce vaste décor s'avança vers la grille de la villa, comme un propriétaire qui rentre chez lui, tourna la clef dans la serrure, laissa la grille entrouverte et gravit le perron. Les arbres étaient pleins d'oiseaux. La porte eut un grincement qui devait être familier à Brown.

Sur le seuil, Maigret essaya d'analyser l'odeur... Car chaque maison a son odeur... Celle-ci était surtout à base d'un parfum très fort, sans doute de musc... Puis des relents de cigare refroidi...

Il tourna le commutateur électrique, alla s'asseoir dans le salon, près de l'appareil de T.S.F. et du phono, à la place où Brown devait s'asseoir, car c'était le fauteuil le plus fatigué.

— Il a été assassiné et les deux femmes...

La lumière était mauvaise, mais il s'avisa qu'un lampadaire était branché à une prise de courant. Il était recouvert d'un immense abat-jour en soie rose. Dès que la lampe était allumée, la pièce prenait vie.

— Il a rendu pendant la guerre des services au 2e Bureau...

Cela se savait. C'est pourquoi les journaux locaux, qu'il avait lus dans le train, montaient cette affaire en épingle. Pour le public, l'espionnage est une chose mystérieuse et pleine de prestige.

Dès lors, on lisait des titres idiots, dans le genre de :

Une affaire internationale
Une seconde affaire Kotioupoff ?
Un drame de l'espionnage

Des journalistes reconnaissaient la main de la Tchéka, d'autres les méthodes de l'Intelligence Service.

Maigret regardait autour de lui avec l'impression qu'il manquait quelque chose. Et il trouva. Ce qui faisait froid, c'était la grande baie derrière laquelle stagnait la nuit. Or, il y avait un rideau, qu'il ferma.

— Voilà ! Une femme dans cette bergère sans doute avec un ouvrage de couture...

L'ouvrage y était, une broderie, sur une petite table.

— L'autre dans ce coin...

Et dans ce coin-là il y avait un livre : *Les Passions de Rudolf Valentino*...

— Il ne manque plus que Gina et sa mère...

Il fallait un effort d'attention pour distinguer le léger froissement de l'eau le long des rochers de la côte. Maigret regardait à nouveau la photographie, qui portait la signature d'un photographe de Nice.

— Pas d'histoires !

Autrement dit, découvrir au plus vite la vérité pour couper court aux divagations des journalistes et de la population. Il y eut des pas sur le gravier du jardin. Une cloche au son très grave, très séduisant, tinta dans le hall. Et Maigret alla ouvrir, distingua près de deux silhouettes féminines un homme avec un képi.

— Vous pouvez aller... Je me charge d'elles... Entrez, mesdames !...

Il avait l'air de les recevoir. Il ne voyait pas encore leurs traits. Par contre, il respirait à plein nez l'odeur de musc.

— J'espère qu'on a enfin compris... commença une voix légèrement cassée.

— Parbleu !... Entrez donc... Mettez-vous à votre aise...

Elles pénétraient dans la lumière. La mère avait un visage tout ridé, enduit d'une couche compacte de fards. Debout, au milieu du salon, elle regardait autour d'elle comme pour s'assurer que rien ne manquait.

L'autre, plus méfiante, observait Maigret, arrangeait les plis de sa robe, esquissait un sourire qu'elle voulait excitant.

— C'est vrai qu'on vous a fait venir de Paris tout exprès ?...

— Enlevez votre manteau, je vous en prie... Installez-vous comme d'habitude...

Elles ne comprenaient pas encore très bien. Elles étaient chez elles comme des étrangères. Elles craignaient un piège.

— On va bavarder tous les trois...

— Vous savez quelque chose ?

C'était la fille qui avait parlé et la mère, cassante, lui lançait :

— Attention, Gina !

A vrai dire, Maigret, une fois de plus, avait de la peine à prendre son rôle au sérieux. La vieille, en dépit de son maquillage, était horrible à voir.

Quant à la fille, aux formes pleines, voire un peu trop abondantes, moulées dans de la soie sombre, elle incarnait la fausse femme fatale.

Et l'odeur ! Ce musc de renfort qui venait saturer à nouveau l'air de la pièce !

Cela faisait penser à une loge de concierge dans un petit théâtre !

Rien de dramatique ! Rien de mystérieux ! La maman qui brodait en surveillant sa fille ! Et la fille qui lisait les aventures de Valentino !

Maigret, qui avait repris sa place dans le fauteuil de Brown, les regardait avec des yeux sans expression et se demandait avec un rien de gêne :

— Qu'est-ce que, diable, cet animal de Brown

a pu faire pendant dix ans avec ces deux femmes-là ?

Dix ans ! De longues journées de soleil immuable, de senteurs de mimosas, avec le balancement, sous les fenêtres, de l'immensité bleue, et dix ans de soirs quiets, interminables, à peine froissés par le bruissement d'une vague sur les roches, et les deux femmes, la mère dans sa bergère, la fille près de la lampe à abat-jour de soie rose...

Il tripotait machinalement la photographie de ce Brown qui avait le culot de lui ressembler.

2

Parlez-moi de Brown...

— Que faisait-il le soir ?

Et Maigret, jambes croisées, regardait avec ennui la vieille qui s'essayait à jouer les femmes distinguées.

— Nous sortions très peu... Le plus souvent ma fille lisait pendant que...

— Parlez-moi de Brown !

Alors, froissée, elle laissa tomber :

— Il ne faisait rien !

— Il faisait de la T. S. F., soupira Gina qui, elle, prenait des poses nonchalantes. Autant j'aime la vraie musique, autant j'ai horreur de...

— Parlez-moi de Brown. Il avait une bonne santé ?

— S'il m'avait écoutée, commença la mère, il

n'aurait jamais souffert du foie, ni des reins... Un homme, quand il atteint la quarantaine...

Maigret avait la mine du monsieur à qui un joyeux imbécile raconte de vieilles plaisanteries en éclatant de rire à chaque instant. Elles étaient aussi ridicules l'une que l'autre, la vieille avec ses airs pincés, l'autre avec ses poses d'odalisque bien portante.

— Vous avez dit qu'il est revenu en auto, le soir, qu'il a traversé le jardin et qu'il est tombé sur le perron...

— Comme s'il était ivre mort, oui ! Par la fenêtre, je lui ai crié qu'il ne rentrerait que quand il serait dans un autre état...

— Il rentrait souvent ivre ?

Encore la vieille :

— Si vous saviez la patience que nous avons dû avoir, pendant les dix ans que...

— Il rentrait souvent ivre ?

— Chaque fois qu'il faisait une fugue, ou presque... Nous disions une neuvaine...

— Et il faisait souvent des neuvaines ?

Maigret ne pouvait s'empêcher de sourire de contentement. Brown n'avait donc pas passé toutes les heures des dix dernières années en tête à tête avec les deux femmes !

— A peu près chaque mois.

— Et cela durait ?...

— Il était parti trois jours, quatre jours, quelquefois davantage... Il revenait sale, imbibé d'alcool...

— Et vous le laissiez quand même repartir ?

Un silence. La vieille, toute raide, lançait au commissaire un regard aigu.

— Je suppose pourtant qu'à vous deux, vous aviez de l'influence sur lui ?

— Il fallait bien qu'il aille chercher l'argent !

— Et vous ne pouviez l'accompagner ?

Gina s'était levée. Elle soupirait avec un geste de lassitude :

— Que tout cela est pénible !... Je vais vous dire la vérité, monsieur le commissaire... Nous n'étions pas mariés, bien que William m'ait toujours traitée comme sa femme, au point de faire vivre maman avec nous... Pour les gens, j'étais Mme Brown... Sinon, je n'aurais pas accepté...

— Ni moi !... ponctua l'autre.

— Seulement, il y a quand même des nuances... Je ne veux pas dire de mal de William... Il n'y a qu'un point sur lequel il ait toujours marqué une différence : la question d'argent...

— Il était riche ?

— Je ne sais pas...

— Et vous ne savez pas non plus où était sa fortune ?... C'est pour cela que vous le laissiez partir, chaque mois, à la recherche des fonds ?...

— J'ai essayé de le suivre, je l'avoue... Est-ce que ce n'était pas mon droit ?... Mais il prenait des précautions... Il partait avec l'auto...

Maigret, maintenant, était à son aise. Il commençait même à s'amuser. Il était réconcilié avec ce farceur de Brown qui vivait en compagnie de deux mégères mais qui, pendant dix ans, était parvenu à leur cacher la source de ses revenus.

— Il rapportait de grosses sommes à la fois ?

— A peine de quoi vivre un mois... Deux mille francs... A partir du 15, on devait faire attention...

C'était le point névralgique ! Rien que d'y penser, elles enrageaient toutes les deux !

Parbleu ! Dès que les fonds baissaient, elles devaient observer William avec inquiétude, en se demandant s'il n'allait pas bientôt commencer sa neuvaine.

Elles ne pouvaient guère lui dire : « Alors ?... Tu ne vas pas faire ta petite bombe ?... »

Elles procédaient par allusions ! Maigret imaginait très bien cela !

— Au fait, qui tenait la bourse ?

— Maman... dit Gina.

— C'est elle qui faisait les menus ?

— Bien entendu ! Et la cuisine ! Puisqu'il n'y avait pas assez d'argent pour payer une domestique !

Alors, le truc était trouvé. Les derniers jours, on servait à Brown des repas impossibles, misérables. Et, à ses critiques, on répondait : « C'est tout ce que l'on peut s'offrir avec l'argent qui reste ! »

Est-ce qu'il se faisait quelquefois tirer l'oreille ? Est-ce qu'au contraire il avait hâte de partir ?

— Quelle heure choisissait-il pour s'en aller ?

— Il n'avait pas d'heure ! On le croyait dans le jardin, ou bien occupé, au garage, à nettoyer la voiture... Tout à coup on entendait le moteur...

— Et vous avez essayé de le suivre... Avec un taxi ?...

— J'en ai fait stationner un pendant trois jours à cent mètres d'ici... Mais, à Antibes, déjà, William nous avait semés dans les petites rues... Je sais pourtant où il garait l'auto... Dans un garage de Cannes... Il l'y laissait tout le temps que durait sa fugue...

— Si bien qu'il prenait peut-être le train pour Paris ou ailleurs ?

— Peut-être !

— Mais peut-être aussi restait-il dans le pays ?

— Il serait étonnant que personne ne l'ait rencontré...

— C'est au retour d'une neuvaine qu'il est mort ?

— Oui... Il y avait sept jours qu'il était parti...

— Et vous avez retrouvé l'argent sur lui ?

— Deux mille francs, comme d'habitude.

— Voulez-vous mon idée ? intervint la vieille. Eh bien ! William devait avoir une rente beaucoup plus importante... Peut-être quatre mille... Peut-être cinq... Il préférait dépenser le reste tout seul... Et nous, il nous condamnait à vivre avec une somme dérisoire...

Maigret était enfoncé béatement dans le fauteuil de Brown. A mesure que cet interrogatoire durait, le sourire s'accentuait sur ses lèvres.

— Il était très méchant ?

— Lui ?... C'était la crème des hommes...

— Attendez ! Nous allons, si vous le voulez bien, reconstituer l'emploi d'une journée. Qui se levait le premier ?

— William... Il dormait la plupart du temps sur le divan qui est dans le hall. On l'entendait déjà aller et venir alors qu'il faisait à peine jour... Je lui ai dit cent fois...

— Pardon ! C'est lui qui préparait le café ?

— Oui... Quand nous descendions, vers dix heures, il y avait du café sur le réchaud... Mais il était froid...

— Et Brown ?

— Il tripotait... Dans le jardin... Dans le garage... Ou bien il s'asseyait devant la mer... C'était l'heure du marché... Il sortait la voiture... Encore une chose que je n'ai jamais pu obtenir de lui : qu'il fasse sa toilette avant d'aller au marché... Il avait toujours sa chemise de nuit sous le veston, ses pantoufles, ses cheveux non peignés... Nous allions à Antibes... Il attendait devant les magasins...

— En rentrant, il s'habillait ?

— Quelquefois, oui ! Quelquefois, non ! Il lui est arrivé de rester quatre ou cinq jours sans se laver.

— Où mangiez-vous ?

— Dans la cuisine ! Quand on n'a pas de domestique, on ne peut pas se permettre de salir toutes les pièces...

— L'après-midi ?...

Parbleu ! Elles faisaient la sieste. Puis, vers cinq heures, on recommençait à traîner les pantoufles à travers la maison !

— Beaucoup de disputes ?

— Presque jamais ! Et pourtant, quand on lui disait quelque chose, William avait une façon insultante de se taire...

Maigret ne riait pas. Il commençait à se sentir tout à fait copain avec ce sacré Brown.

— Donc, on l'a assassiné... Cela aurait pu avoir lieu pendant qu'il traversait le jardin... Mais, puisque vous avez trouvé du sang dans la voiture...

— Quel intérêt aurions-nous à mentir ?

— Evidemment ! Donc, il a été tué ailleurs ! Ou plutôt blessé ! Et, au lieu de se rendre chez un docteur, ou au commissariat, il est venu échouer ici... Vous avez transporté le corps à l'intérieur ?...

— On ne pouvait pas le laisser dehors !

— Maintenant, dites-moi pourquoi vous

n'avez pas averti les autorités... Je suis persuadé que vous aviez une excellente raison...

Et la vieille, debout, catégorique :

— Oui, monsieur ! Cette raison, je vais vous la dire ! D'ailleurs, vous apprendriez un jour ou l'autre la vérité ! Brown a été marié, jadis, en Australie... Car il est australien... Sa femme vit encore... Elle a toujours refusé le divorce et elle sait pourquoi. Si, à l'heure qu'il est, nous n'habitons pas la plus belle villa de la Côte d'Azur, c'est à cause d'elle...

— Vous l'avez vue ?

— Elle n'a jamais quitté l'Australie... Mais elle a fait tant et si bien qu'elle a obtenu que son mari soit mis sous conseil judiciaire... Depuis dix ans, nous, nous vivons avec lui, nous le soignons, nous le consolons... Grâce à nous, il y a un peu d'argent de côté... Eh bien ! si...

— Si Mme Brown avait appris la mort de son mari, elle aurait fait tout saisir ici !

— Justement ! Nous nous serions sacrifiées pour rien ! Et pas seulement cela ! Je ne suis pas sans ressources ! Mon mari était dans l'armée et je touche toujours une petite pension... Bien des choses qui sont ici m'appartiennent... Seulement cette femme a la loi pour elle et elle nous aurait tout simplement mises à la porte...

— Alors, vous avez hésité... Vous avez pesé le pour et le contre, pendant trois jours, en présence du cadavre qui devait être étendu sur le divan du hall...

— Pendant deux jours ! C'est le deuxième jour que nous l'avons enterré...

— A vous deux ! Puis vous avez ramassé ce qu'il y avait de plus précieux dans la maison et... Au fait, où vouliez-vous aller ?

— N'importe où ! A Bruxelles, ou à Londres...

— Vous aviez déjà conduit la voiture ? demanda Maigret à Gina.

— Jamais ! Mais je l'avais déjà mise en marche dans le garage !

De l'héroïsme, en somme ! C'était presque hallucinant, ce départ-là, le cadavre dans le jardin, les trois lourdes valises et la voiture qui faisait des embardées...

Maigret commençait à en avoir assez de l'atmosphère, de l'odeur de musc, de la lumière rougeâtre qui filtrait de l'abat-jour.

— Vous permettez que je jette un coup d'œil dans la maison ?

Elles avaient repris leur aplomb, leur dignité. Peut-être même étaient-elles déroutées par ce commissaire qui prenait les choses si simplement, qui avait l'air, au fond, de trouver les événements tout naturels !

— Vous excuserez le désordre, n'est-ce pas ?

Et comment ! D'ailleurs, cela ne pouvait s'appeler du désordre. C'était quelque chose de sordide ! Cela tenait de la tanière où les bêtes vivent dans leur odeur au milieu de restes de mangeaille et de déjections, mais cela tenait aussi de l'intérieur bourgeois, avec ses boursouflures orgueilleuses.

À une patère, dans le hall, il y avait un vieux pardessus de William Brown. Maigret fouilla les poches, retira une paire de gants usés, une clef, une boîte de cachou.

— Il mangeait du cachou ?

— Quand il avait bu, pour que nous ne le sachions pas par son haleine ! Car on lui défendait le whisky... La bouteille était toujours cachée...

Au-dessus de la patère, une tête de cerf, avec ses bois. Et plus loin, un guéridon de rotin avec un plateau en argent pour les cartes de visite !

— Il avait mis ce pardessus-ci ?

— Non ! Sa gabardine...

Les volets de la salle à manger étaient fermés. La pièce ne servait que de remise et Brown avait dû se livrer à la pêche, car il y avait par terre des casiers à homards.

Puis la cuisine, où le fourneau n'avait jamais été allumé. C'était le réchaud à alcool qui fonctionnait. Près de lui, cinquante ou soixante bouteilles vides, qui avaient contenu de l'eau minérale.

— L'eau d'ici est trop calcaire et...

L'escalier, avec un tapis usé, maintenu par des

barres de cuivre. Il suffisait de suivre le musc à la piste pour atteindre la chambre de Gina.

Pas de salle de bains, pas de cabinet de toilette. Des robes en désordre sur le lit qui n'avait pas été fait. C'est là qu'on avait trié les vêtements pour n'emporter que les meilleurs.

Maigret préféra ne pas entrer chez la vieille.

— Nous sommes parties si précipitamment... J'ai honte de vous montrer la maison dans un tel état.

— Je reviendrai vous voir.

— Nous sommes libres ?

— C'est-à-dire que vous ne retournerez pas en prison... Du moins pour le moment... Mais, si vous tentiez de quitter Antibes...

— Jamais de la vie !

On le reconduisait à la porte. La vieille se souvenait des bonnes manières.

— Un cigare, monsieur le commissaire ?

Gina allait plus loin ! Est-ce qu'il ne fallait pas s'assurer la sympathie d'un homme aussi influent ?

— Vous pourriez d'ailleurs emporter la boîte. William ne les fumera plus...

Ça ne s'invente pas ! Dehors, Maigret en était comme ivre ! Il avait à la fois envie de rire et de serrer les dents ! La grille franchie, on avait, en se retournant, une image tellement différente de la villa, toute blanche dans la verdure !

La lune était juste à l'angle du toit. A droite, la mer brillante, et les mimosas qui frémissaient...

Il avait sa gabardine sous le bras. Il rentra à l'*Hôtel Bacon* sans penser, en proie à des impressions vagues, tantôt pénibles et tantôt comiques.

— Sacré William !

Il était tard. Il n'y avait déjà plus personne dans la salle à manger, hormis une serveuse qui attendait en lisant le journal. C'est alors qu'il s'avisa que ce n'était pas sa gabardine à lui qu'il avait emportée mais celle de Brown, crasseuse, tachée d'huile et de cambouis.

Dans la poche de gauche, il y avait une clef anglaise, dans celle de droite, une poignée de monnaie et quelques piécettes carrées, en cuivre, marquées d'un chiffre.

Des jetons servant dans ces machines à sous qui se trouvent sur le comptoir des petits bars.

Il y en avait une dizaine.

— Allô !... Ici, l'inspecteur Boutigues... Voulez-vous que j'aille vous prendre à votre hôtel ?

Il était neuf heures du matin. Depuis six heures, Maigret avait ouvert sa fenêtre et dormait d'une façon intermittente, voluptueuse, avec la conscience que la Méditerranée s'étalait devant lui.

— Pour quoi faire ?

— Vous ne voulez pas voir le cadavre ?

— Oui... Non... Peut-être après-midi... Téléphonez-moi à l'heure du déjeuner...

Il avait besoin de s'éveiller. Dans cette atmosphère matinale, les histoires de la veille ne lui paraissaient plus si réelles. Et il se souvenait des deux femmes comme d'un cauchemar imprécis.

Elles n'étaient pas encore levées, elles ! Et, si Brown eût vécu, il eût été occupé à tripoter dans son jardin ou au garage ! Tout seul ! Pas lavé ! Et le café froid attendant sur le réchaud éteint !

Tout en se rasant, il aperçut les jetons, sur la cheminée. Il dut faire un effort pour se souvenir de ce qu'ils représentaient dans cette histoire.

— Brown est allé faire sa neuvaine et a été tué, soit avant de remonter en auto, soit dans l'auto, soit en traversant le jardin, soit dans la maison...

Sa joue gauche était déjà débarrassée du savon quand il grommela :

— Brown n'allait certainement pas dans les petits bistrots d'Antibes... On me l'aurait dit...

Et, d'autre part, Gina n'avait-elle pas découvert qu'il garait sa voiture à Cannes ?

Un quart d'heure plus tard, il téléphonait à la police cannoise.

— Commissaire Maigret, de la P. J... Pouvez-vous me donner la liste des bars qui ont des machines à sous ?

— Il n'y en a plus ! Elles ont été supprimées il y a deux mois, par décret préfectoral... Vous n'en trouverez plus sur la Côte d'Azur...

Il demanda à sa logeuse où il pourrait rencontrer un taxi.

— Pour aller où ?

— A Cannes !

— Alors, pas besoin de taxi. Vous avez un autobus toutes les trois minutes, place Macé...

C'était vrai. La place Macé était encore plus gaie que la veille, dans le soleil du matin. Brown devait passer par là quand il conduisait ses deux femmes au marché.

Maigret prit l'autobus. Une demi-heure plus tard, il était à Cannes où il se rendait au garage qu'on lui avait désigné. C'était près de la Croisette. Du blanc partout. D'immenses hôtels blancs ! Des magasins blancs. Des pantalons blancs et des robes blanches. Des voiles blanches sur la mer.

A croire que la vie n'était plus qu'une féerie pour music-hall, une féerie blanche et bleue.

— C'est ici que M. Brown remisait sa voiture ?

— Ça y est !

— Qu'est-ce qui y est ?

— On va me faire des ennuis ! Je m'en suis douté quand j'ai appris qu'on l'avait assassiné... C'est ici, oui !... Je n'ai rien à cacher... Il m'amenait la bagnole le soir et venait la reprendre huit ou dix jours après...

— Ivre mort ?

— Comme je l'ai toujours vu, quoi !

— Et vous ne savez pas où il allait ensuite ?

— Quand ? Après avoir laissé sa voiture ? Je n'en sais rien !

— Il vous la faisait nettoyer, mettre en état ?

— Rien du tout ! Il y a un an que l'huile n'a pas été vidangée.

— Qu'est-ce que vous pensez de lui ?

Le garagiste haussa les épaules.

— Rien du tout !

— Un original ?

— Il y en a tant sur la Côte qu'on est habitué ! On ne les remarque même plus... Tenez ! pas plus tard qu'hier, une jeune fille américaine est venue me demander de lui carrosser une voiture en forme de cygne... Du moment qu'elle paie !...

Restaient les machines à sous ! Maigret entra dans un bar, près du port, où il n'y avait que des matelots de yacht.

— Vous n'avez pas de machine à sous ?

— On les a interdites il y a un mois... Mais on va nous livrer un nouveau modèle, qu'on mettra deux ou trois mois à interdire...

— Il n'y en a plus nulle part ?

Le patron ne dit ni oui, ni non.

— Qu'est-ce que vous prenez ?

Maigret prit un vermouth. Il regardait les yachts alignés dans le port, puis les matelots qui portaient le nom de leur bateau brodé sur le tricot.

— Vous ne connaissez pas Brown ?

— Quel Brown ?... Celui qu'on a tué ?... Il ne venait pas ici...

— Où allait-il ?

Geste vague. Le patron servait ailleurs. Il faisait chaud. Bien qu'on ne fût qu'en mars, la peau était moite, avec une odeur d'été.

— J'ai entendu parler de lui, mais je ne sais plus par qui ! vint dire le bistrot, une bouteille à la main.

— Tant pis ! Ce que je cherche, c'est une machine à sous...

Brown avait son imperméable sur lui pendant sa neuvaine. Or, à ses retours, il était plus que probable que ses poches fussent fouillées par les deux femmes.

Donc, les jetons dataient de la dernière neuvaine...

Tout cela était vague, inconsistant. Puis il y avait ce soleil qui donnait à Maigret l'envie de s'asseoir à une terrasse, comme les autres, et de regarder les bateaux qui bougeaient à peine sur l'eau plate.

Des tramways clairs... De belles autos... Il découvrit la rue commerçante de la ville, parallèle à la Croisette...

— Seulement, grogna-t-il, si Brown faisait ses neuvaines à Cannes, ce n'était pas ici...

Il marcha. Il s'arrêtait de temps en temps pour pénétrer dans un bar. Il buvait un vermouth et parlait des machines à sous.

— C'est périodique ! Tous les trois mois on

les rafle... Puis on en installe d'autres et on est tranquille pour trois mois...

— Vous ne connaissez pas Brown ?

— Le Brown qui a été assassiné ?

C'était monotone. Il était plus de midi. Le soleil tombait d'aplomb dans les rues. Maigret avait envie d'aborder un sergent de ville, comme un voyageur en bombe, et de lui demander :

— Où est le quartier où on rigole ?

Si Mme Maigret avait été là, elle aurait trouvé qu'il avait les yeux un peu trop brillants, à cause de tous ces vermouths.

Il contourna un angle, puis un autre. Et soudain ce ne fut plus Cannes, avec ses grands immeubles blancs dans le soleil, mais un monde nouveau, des ruelles larges d'un mètre, du linge tendu sur des fils de fer, d'une maison à l'autre.

A droite, une enseigne : *Aux Vrais Marins.*

A gauche, une enseigne : *Liberty Bar.*

Maigret entra *Aux Vrais Marins*, commanda un vermouth, debout devant le zinc.

— Tiens ! Je croyais que vous aviez une machine à sous...

— On *avait* !

Il avait la tête lourde, les jambes molles d'avoir tourné en rond dans la ville.

— Pourtant certains en ont encore !

— Certains, oui ! grommela le garçon en donnant un coup de torchon sur le comptoir. Il y en a toujours qui passent à travers. Seulement, ça ne nous regarde pas, n'est-ce pas ?...

Et il regarda du côté de la rue, répondit à une nouvelle question de Maigret :

— Deux francs vingt-cinq... Je n'ai pas de monnaie à vous rendre...

Alors le commissaire poussa la porte du *Liberty Bar.*

3

La filleule de William

La pièce, qui était vide, n'avait pas plus de deux mètres de large, sur trois mètres de profondeur. Il fallait descendre deux marches, car elle était en contrebas.

Un comptoir étroit. Une étagère garnie d'une douzaine de verres. La machine à sous. Et enfin deux tables.

Au fond, une porte vitrée, garnie de rideaux de tulle. Derrière ce rideau, on devinait des têtes qui bougeaient. Mais personne ne se leva pour accueillir le client. Une voix de femme, seulement, cria :

— Qu'est-ce que vous attendez ?

Et Maigret entra. Il fallait encore descendre une marche et la fenêtre, au ras du sol de la cour, ressemblait à un soupirail. Dans la lumière indécise, le commissaire vit trois personnes autour d'une table.

La femme qui avait crié et qui continuait à manger le regardait comme lui-même avait l'habitude de regarder les gens, calmement, sans perdre un détail.

Les coudes sur la table, elle soupira enfin en désignant un tabouret du menton :

— Vous y avez mis le temps !

Près d'elle, il y avait un homme que Maigret ne voyait que de dos, un homme en uniforme de marin très propre. Ses cheveux clairs étaient coupés court sur la nuque. Il portait des manchettes.

— Mange à ton aise, lui dit la femme. Ce n'est rien...

Enfin, à l'autre bout de la table, une troisième personne, une jeune femme au teint mat dont les grands yeux fixaient Maigret avec méfiance.

Elle était en peignoir. On lui voyait tout le sein gauche, mais personne n'y prenait garde.

— Asseyez-vous ! Vous permettez qu'on continue à déjeuner ?

Avait-elle quarante-cinq ans ? Cinquante ? Ou plus ? C'était difficile à dire. Elle était grasse, souriante, sûre d'elle. On sentait que rien ne l'effrayait, qu'elle avait tout vu, tout entendu, tout ressenti.

Un regard lui avait suffi pour deviner ce que Maigret venait faire. Et elle ne s'était même pas levée. Elle coupait de grosses tranches à même un gigot qui retint un moment l'attention de Maigret, car il en avait rarement vu d'aussi onctueux.

— Alors, comme ça, vous êtes de Nice, d'Antibes ?... Je ne vous ai jamais vu...

— Police Judiciaire, de Paris...

— Ah !

Et ce « Ah » disait qu'elle comprenait la différence, appréciait le rang du visiteur.

— Ce serait donc vrai ?

— Quoi ?

— Que William était quelque chose comme un grand personnage...

Maintenant, Maigret voyait le matelot de profil. Ce n'était pas un matelot ordinaire. Son uniforme était de drap fin. Il portait un galon doré, un écusson aux armes d'un club à sa casquette. Il paraissait ennuyé de se trouver là. Il mangeait sans rien regarder d'autre que son assiette.

— Qui est-ce ?

— On l'appelle toujours Yan... Je ne sais même pas son nom... Il est steward à bord de l'*Ardena*, un yacht suédois qui vient chaque année passer l'hiver à Cannes... Yan est le maître d'hôtel... N'est-ce pas, Yan ?... Monsieur est de la police... Je t'ai déjà raconté l'histoire de William...

L'autre approuvait de la tête, sans avoir l'air de bien comprendre.

— Il dit oui, mais il ne sait pas au juste ce que je viens de lui raconter ! fit la femme sans se soucier du marin. Il peut pas s'habituer au français... C'est un bon type... Il a une femme et des enfants dans son pays... Montre la photo, Yan !... Photo, oui...

Et l'homme tira une photographie de sa vareuse. Elle représentait une jeune femme assise devant une porte, et deux bébés dans l'herbe, devant elle.

— Des jumeaux ! expliquait la tenancière. Yan vient de temps en temps manger ici, parce qu'il se sent en famille. C'est lui qui a apporté le gigot et les pêches...

Maigret regarda la fille qui ne pensait toujours pas à cacher son sein.

— Et... cette...

— C'est Sylvie, la filleule de William...

— La filleule ?

— Oh ! pas à l'église !... Il n'a pas assisté à son baptême... Est-ce que t'es baptisée seulement, Sylvie ?

— Bien sûr !

Elle regardait toujours Maigret avec méfiance, tout en mangeant du bout des dents, sans appétit.

— William avait de l'affection pour elle... Elle lui racontait ses misères... Il la consolait...

Maigret était assis sur un tabouret, les coudes

sur les genoux, le menton dans les mains. La grosse femme préparait une salade frottée d'ail qui avait l'air d'un pur chef-d'œuvre.

— Vous avez déjeuné ?

Il mentit.

— Oui... je...

— Parce qu'il faudrait le dire... Ici, on ne se gêne pas... Pas vrai, Yan ?... Regardez-le ! Il dit oui et il n'a rien compris... Je les aime, moi, ces garçons du Nord !...

Elle goûta la salade, ajouta un filet d'huile d'olive au parfum fruité. Il n'y avait pas de nappe sur la table, qui n'était peut-être pas très propre. Un escalier s'amorçait dans la cuisine même et devait conduire à un entresol. Dans un coin, une machine à coudre.

La cour était pleine de soleil, si bien que le soupirail se découpait comme un rectangle aveuglant et que, par contraste, on avait l'impression de vivre dans une demi-obscurité froide.

— Vous pouvez me questionner... Sylvie est au courant... Quant à Yan...

— Il y a longtemps que vous tenez ce bar ?

— Peut-être quinze ans... J'étais mariée avec un Anglais, un ancien acrobate, si bien que nous avions la clientèle de tous les marins anglais, puis des artistes de music-hall... Mon mari s'est noyé il y a neuf ans aux régates... Il courait pour une baronne qui a trois bateaux et que vous devez connaître...

— Et depuis lors ?

— Rien ! Je garde la maison...

— Vous avez beaucoup de clients ?

— Je n'y tiens pas... Ce sont plutôt des amis, comme Yan, comme William... Ils savent que je suis toute seule et que j'aime la compagnie... Ils viennent boire une bouteille, ou bien ils apportent des rascasses, un poulet, et je fais la popote...

Elle emplit les verres, constata que Maigret n'en avait pas.

— Tu devrais prendre un verre pour le commissaire, Sylvie.

Celle-ci se leva sans un mot, se dirigea vers le bar. Sous son peignoir, elle était nue. Elle avait les pieds nus dans des sandales. En passant, elle frôla Maigret, sans s'excuser. Pendant le court moment qu'elle resta dans le bar, l'autre en profita pour murmurer :

— Faut pas faire attention... Elle adorait Will... Alors, ça lui a donné un coup...

— Elle couche ici ?

— Des fois oui... Des fois non...

— Qu'est-ce qu'elle fait ?

Alors la femme regarda Maigret d'un air de reproche. Elle semblait dire : « Et c'est vous, un commissaire de la Police Judiciaire, qui me posez cette question ? »

Elle ajouta aussitôt :

— Oh ! c'est une fille tranquille, pas vicieuse pour un sou...

— William savait ?...

A nouveau le même regard. Est-ce qu'elle s'était trompée sur le compte de Maigret ? Est-ce qu'il ne comprenait rien ? Allait-il falloir mettre les points sur les i ?

Yan avait fini de manger. Il attendait de pouvoir dire quelque chose, mais elle devina.

— Oui ! Tu peux aller, Yan... Tu viens ce soir ?

— Si les patrons vont au casino...

Il se leva, hésita à accomplir les rites traditionnels. Mais, comme la femme lui tendait le front, il y posa un baiser machinal, en rougissant, à cause de Maigret. Il rencontra Sylvie qui revenait avec un verre.

— Tu pars ?

— Oui...

Et il l'embrassa de la même façon, esquissa un drôle de salut à l'adresse de Maigret, heurta la marche, plongea littéralement dans la rue tout en ajustant sa casquette.

— Un garçon qui n'aime pas faire la bombe, comme la plupart des matelots de yacht... Il préfère venir ici...

Elle avait fini de manger aussi. Elle se mettait à son aise, les deux coudes sur la table.

— Tu passeras le café, Sylvie ?

C'est à peine si on entendait les bruits de la rue. Sans le rectangle de soleil, on n'eût même pu dire à quelle heure du jour ou de la nuit on vivait.

Un réveille-matin marquait la fuite du temps, posé au milieu de la cheminée.

— Alors, qu'est-ce que vous voulez savoir au juste ?... A votre santé !... C'est encore du whisky à William...

— Comment vous appelle-t-on ?

— Jaja... Pour me taquiner, ils disent la grosse Jaja...

Et elle regardait son énorme poitrine qui reposait sur la table.

— Il y a longtemps que vous connaissez William ?

Sylvie avait repris sa place et, le menton dans la main, ne quittait pas Maigret du regard. La manche de son peignoir trempait dans son assiette.

— Je dirais presque depuis toujours. Mais je ne sais son nom que depuis la semaine dernière... Il faut vous dire que, du temps de mon mari, le *Liberty Bar* était célèbre... Il y avait toujours des artistes... Et cela attirait la riche clientèle qui venait pour les voir...

» Surtout les patrons des yachts, qui sont presque tous des noceurs et des originaux... Je me souviens d'avoir vu plusieurs fois William, à cette époque-là, en casquette blanche, accompagné d'amis et de jolies femmes...

» Ils étaient des bandes à boire du champagne

jusqu'aux petites heures et à offrir des tournées générales...

» Puis mon mari est mort... J'ai fermé pendant un mois... Ce n'était pas la saison... L'hiver suivant, j'ai dû passer trois semaines à l'hôpital à cause d'une péritonite...

» Quelqu'un en avait profité pour ouvrir une autre boîte sur le port même...

» Depuis lors, c'est calme... Je ne cherche même pas à avoir des clients...

» Un jour, j'ai vu revenir William et c'est alors seulement que j'ai vraiment fait sa connaissance... On s'est soûlé... On a raconté des histoires... Il a dormi sur le divan, parce qu'il ne pouvait pas tenir debout...

— Il portait toujours une casquette de yachtman ?

— Non ! Il n'était plus tout à fait le même. Il avait le vin triste... Il a pris l'habitude de venir me voir de temps en temps...

— Vous saviez son adresse ?

— Non. Ce n'était pas à moi de le questionner. Et il ne parlait jamais de ses affaires...

— Il restait longtemps ici ?

— Trois jours, quatre jours... Il apportait à manger... Ou bien il me donnait de l'argent pour aller faire le marché... Il prétendait qu'il ne mangeait nulle part aussi bien qu'ici...

Et Maigret regardait la chair rose du gigot, le

reste de salade parfumée. C'était vraiment appétissant.

— Sylvie était déjà avec vous ?

— Vous ne voudriez pas ! Elle a tout juste vingt et un ans...

— Comment l'avez-vous connue ?

Et, comme Sylvie prenait un air buté, Jaja lui lança :

— Le commissaire sait ce que c'est, va !... C'était un soir que William était ici... Nous n'étions que nous deux dans le bar... Sylvie est arrivée avec des particuliers qu'elle avait rencontrés je ne sais où, des voyageurs de commerce ou quelque chose du même genre... Ils étaient déjà gais... Ils ont commandé à boire... Quant à elle, on sentait tout de suite qu'elle était nouvelle... Elle voulait les emmener avant qu'ils soient ivres... Elle ne savait pas s'y prendre... Et ce qui devait arriver est arrivé... À la fin, ils étaient si soûls qu'ils ne se sont plus occupés d'elle et qu'ils l'ont laissée ici... Elle pleurait... Elle a avoué qu'elle arrivait de Paris pour la saison et qu'elle n'avait même pas de quoi payer l'hôtel... Elle a dormi avec moi... Elle a pris l'habitude de venir...

— En somme, grommela Maigret, les gens qui entrent ici prennent tous cette habitude...

Et la vieille, rayonnante :

— Qu'est-ce que vous voulez ? C'est la maison du bon Dieu ! On ne s'en fait pas. On prend les jours comme ils viennent...

Elle était sincère. Son regard descendit lentement vers la poitrine de la jeune fille et elle soupira :

— Dommage qu'elle n'ait pas plus de santé... On lui voit encore les côtes... William voulait lui payer un mois dans un sana, mais elle n'a jamais voulu...

— Pardon ! Est-ce que William... et elle...

Ce fut Sylvie elle-même qui répondit, rageuse :

— Jamais ! Ce n'est pas vrai...

Et la grosse Jaja d'expliquer en sirotant son café :

— Ce n'était pas l'homme à ça... Surtout avec elle... Je ne dis pas que de temps en temps...

— Avec qui ?

— Des femmes... Des femmes qu'il ramassait n'importe où... Mais c'était rare... Et cela ne l'intéressait pas...

— A quelle heure vous a-t-il quittée, vendredi ?

— Tout de suite après le déjeuner... Il devait être deux heures, comme aujourd'hui...

— Et il n'a pas dit où il allait ?

— Il ne parlait jamais de ça...

— Sylvie était ici ?

— Elle est partie cinq minutes avant lui.

— Pour aller où ? demanda Maigret à l'intéressée.

Et elle, méprisante :

— Cette question !

— Vers le port ?... C'est là que... ?

— Là et ailleurs !

— Il n'y avait personne d'autre au bar ?

— Personne... Il faisait très chaud... Je me suis endormie une heure sur une chaise...

Or, il était plus de cinq heures quand William Brown était arrivé à Antibes avec sa voiture !

— Il fréquentait d'autres bars comme celui-ci ?

— Aucun ! D'ailleurs, les autres ne sont pas comme celui-ci !

Evidemment ! Maigret lui-même, qui n'y était que depuis une heure, avait l'impression de le connaître depuis toujours. Peut-être parce qu'il n'y avait rien de personnel ? Ou encore à cause de cette atmosphère de vie paresseuse, relâchée ?

On n'avait pas le courage de se lever, de partir. Le temps s'écoulait lentement. Les aiguilles du réveil avançaient sur le cadran blafard. Et le rectangle de soleil diminuait, au soupirail.

— J'ai lu les journaux... Je ne savais même pas le nom de famille de William... Mais j'ai reconnu la photo... On a pleuré, Sylvie et moi... Qu'est-ce qu'il pouvait bien faire avec ces deux femmes ?... Dans notre situation, on ne doit pas se mêler à ces affaires-là, n'est-ce pas ?... Je m'attendais d'un moment à l'autre à voir arriver la police... Quand vous êtes sorti du bar d'en face, je me suis bien doutée...

Elle parlait lentement. Elle remplissait les verres. Elle buvait l'alcool à petites gorgées.

— Celui qui a fait ça est une crapule, parce que, des hommes comme William, il n'y en a pas beaucoup... Et je m'y connais !...

— Il ne vous a jamais parlé de son passé ?

Elle soupira. Est-ce que Maigret ne comprenait donc pas que c'était justement *la maison où on ne parlait jamais du passé* ?

— Tout ce que je puis vous dire, c'est que c'était un gentleman ! Un homme qui a été très riche, qui l'était peut-être encore... Je ne sais pas... Il a eu un yacht, des tas de domestiques...

— Il était triste ?

Elle soupira à nouveau.

— Vous ne pouvez pas comprendre ?... Vous avez vu Yan... Est-ce qu'il est triste ?... Mais ce n'est pas encore la même chose... Est-ce que je suis triste, moi ?... N'empêche qu'on boit, puis qu'on raconte des choses qui n'ont pas de suite et qu'on a envie de pleurer...

Sylvie la regardait avec réprobation. Il est vrai qu'elle n'avait bu que du café, alors que la grosse Jaja en était à son troisième petit verre.

— Je suis bien contente que vous soyez venu, parce que ainsi j'en suis quitte... On n'a rien à cacher, rien à se reprocher... Mais on sait bien, quand même, qu'avec la police... Tenez ! Si c'était la police de Cannes, je suis sûre qu'elle me ferait fermer...

— William dépensait beaucoup d'argent ?

Est-ce qu'elle ne désespéra pas de lui faire comprendre la situation ?

— Il en dépensait sans en dépenser... Il donnait de quoi aller chercher à manger et à boire... Quelquefois il payait la facture du gaz et de l'électricité, ou bien il donnait cent francs à Sylvie, pour s'acheter des bas.

Maigret avait faim. Et il y avait ce gigot savoureux à quelques centimètres de ses narines. Deux morceaux coupés restaient sur le plat. Il en prit un avec les doigts et le mangea, tout en parlant, comme s'il eût été, lui aussi, de la maison.

— Sylvie amène ses clients ici ?

— Jamais ! C'est alors qu'on nous ferait fermer... Il y a assez d'hôtels pour ça à Cannes !...

Et elle ajouta, en regardant Maigret dans les yeux :

— Vous croyez vraiment que ce sont ses femmes qui l'ont...

Au même moment, elle détourna la tête. Sylvie se dressa un peu pour voir à travers le tulle de la porte vitrée. La porte extérieure s'était ouverte. Quelqu'un traversait le bar, poussait l'autre porte, s'arrêtait, étonné, en apercevant un visage nouveau.

Sylvie s'était levée. Jaja, un peu rose, peut-être, disait au nouveau venu :

— Entre !... C'est le commissaire qui s'occupe de William...

Et, à Maigret :

— Un ami... Joseph... Il est garçon au casino... Cela se voyait au plastron blanc, au nœud de cravate noir que Joseph portait sous un complet gris, avec des souliers vernis.

— Je reviendrai... dit-il.

— Mais non ! Entre...

Il n'y était pas très décidé.

— Je venais seulement dire bonjour en passant... J'ai un tuyau pour la deux et...

— Vous jouez aux courses ? fit Maigret en se tournant à demi vers le garçon de café.

— De temps en temps... Il y a des clients qui me donnent des tuyaux... Il faut que je file...

Et il battit en retraite, non sans que le commissaire ait eu l'impression qu'il adressait un signe à Sylvie. Celle-ci s'était rassise. Jaja soupirait :

— Il va encore perdre... Ce n'est pas un méchant garçon...

— Il faut que je m'habille ! dit Sylvie en se levant et en découvrant, entre les pans du peignoir, la plus grande partie de son corps, sans provocation, comme si c'eût été la chose la plus naturelle du monde.

Elle gravit l'escalier jusqu'à l'entresol où on l'entendit aller et venir. Il sembla à Maigret que la grosse Jaja tendait l'oreille.

— Elle fait quelquefois les courses aussi... C'est elle qui a perdu le plus avec la mort de William...

Maigret se leva brusquement, passa dans le bar, ouvrit la porte de la rue. Mais il était trop tard. Joseph s'éloignait à grands pas, sans se retourner, en même temps qu'une fenêtre se refermait à l'entresol.

— Qu'est-ce qui vous a pris ?

— Rien... une idée...

— Encore un verre ?... Vous savez, si le gigot vous plaît...

Sylvie descendait déjà, transformée, méconnaissable dans un costume tailleur bleu marine qui lui donnait un air de jeune fille. Un chemisier de soie blanche rendait vraiment désirables de petits seins tremblants que Maigret avait pourtant vus si longtemps. La jupe moulait un ventre étroit, une croupe nerveuse. Les bas de soie étaient bien tirés sur les jambes.

— A ce soir !

Et elle aussi embrassait Jaja au front, se tournait vers Maigret, hésitait. Est-ce qu'elle avait envie de sortir sans lui dire au revoir, ou de lui lancer une injure ?

En tout cas, elle précisait son attitude d'ennemie. Elle n'essayait pas de lui donner le change.

— Bonjour... Je suppose que vous n'avez plus besoin de moi ?

Elle était toute raide. Elle attendait un instant et elle s'en allait d'une démarche décidée.

Jaja riait en remplissant les verres.

— Ne faites pas attention... Ces petites-là, ça n'a pas encore de raison. Voulez-vous que je vous donne une assiette, pour que vous goûtiez ma salade ?

Le bar vide, en façade, avec sa seule vitrine donnant sur la ruelle ; là-haut, au-dessus de l'escalier tournant, l'entresol qui devait être en désordre ; le soupirail et la cour d'où le soleil se retirait peu à peu...

Un drôle d'univers, au centre duquel Maigret était installé devant les restes d'une salade odorante, en compagnie de la grosse femme qui semblait s'appuyer sur sa poitrine abondante et qui soupirait :

— Quand j'avais son âge, on me faisait marcher autrement que ça, moi !

Elle n'avait pas besoin de préciser. Il l'imaginait très bien, quelque part aux environs de la porte Saint-Denis ou du faubourg Montmartre, en robe de soie voyante, surveillée, à travers les vitres de quelque bar, par un ami intransigeant.

— Aujourd'hui...

Elle avait fait trop honneur à la bouteille. Ses yeux s'humectèrent en regardant Maigret. Sa bouche enfantine eut une moue qui présageait des larmes.

— Vous me faites penser à William... C'était

sa place... Lui aussi posait sa pipe à côté de son assiette pour manger... Il avait les mêmes épaules... Savez-vous que vous lui ressemblez ?

Elle se contenta de s'essuyer les yeux, sans pleurer.

4

La gentiane

C'était l'heure rose, équivoque, où les moiteurs du soleil couchant se dissipent dans la fraîcheur de la nuit proche. Maigret sortait du *Liberty Bar* comme on sort d'un mauvais lieu, les mains enfoncées dans les poches, le chapeau sur les yeux. Pourtant, après une dizaine de pas, il éprouva le besoin de se retourner, comme pour s'assurer de la réalité de cette atmosphère qu'il quittait.

Le bar était bien là, coincé entre deux maisons, avec sa façade étroite, peinte d'un vilain brun, et les lettres jaunes de l'enseigne.

Derrière la vitre, il y avait un pot de fleurs et, tout près, un chat endormi.

Jaja devait sommeiller aussi, dans l'arrière-boutique, seule près du réveille-matin qui comptait les minutes...

Au bout de la ruelle, on renaissait à la vie normale : des magasins, des gens habillés comme tout le monde, des autos, un tramway, un sergent de ville...

Puis, à droite, la Croisette qui ressemblait vraiment, à cette heure-là, aux aquarelles-réclames que le syndicat d'initiative de Cannes fait reproduire dans les magazines de luxe.

C'était doux, paisible... Des gens marchant sans se presser... Des autos glissant sans bruit, comme sans moteur... Et tous ces yachts clairs sur l'eau du port...

Maigret se sentait fatigué, abruti, et pourtant il n'avait pas envie de rentrer à Antibes. Il allait et venait sans but, s'arrêtant sans savoir pourquoi, repartant dans n'importe quelle direction, comme si la partie consciente de son être fût restée dans l'antre de Jaja, près de la table non desservie où, à midi, était attablé un correct steward suédois, en face de Sylvie aux seins nus.

Dix ans durant, William Brown avait vécu là plusieurs jours par mois, dans une chaude paresse, près de Jaja qui, après quelques verres, pleurnichait, puis s'endormait sur sa chaise.

— La gentiane, parbleu !

Maigret était ravi d'avoir trouvé ce qu'il cherchait depuis un quart d'heure sans même s'en rendre compte ! Depuis qu'il était sorti du *Liberty*

Bar, il s'obstinait à le définir, à le débarrasser de son pittoresque superficiel, pour n'en garder que l'âme. Et il avait trouvé ! Il se souvenait de la phrase d'un ami à qui il offrait l'apéritif.

— Qu'est-ce que tu bois ?

— Une gentiane !

— Quelle est cette nouvelle mode ?

— Ce n'est pas une mode ! C'est la dernière ressource de l'ivrogne, vieux ! Tu connais la gentiane. C'est amer. Ce n'est même pas alcoolisé. Eh bien ! quand, pendant trente ans, on s'est imbibé d'alcools divers, il ne reste plus que ce vice-là, il n'y a que cette amertume à émouvoir les papilles...

C'était bien cela ! Un endroit sans vice, sans méchanceté ! Un bar où on entrait immédiatement dans la cuisine et où vous accueillait la familiarité de Jaja !

Et on buvait, pendant qu'elle faisait sa popote ! On allait chercher soi-même, chez le boucher voisin, le morceau de barbaque ! Sylvie descendait, les yeux pleins de sommeil, à moitié nue, et on l'embrassait au front, sans même regarder ses seins pauvres.

Il ne faisait pas très propre, pas très clair. On ne parlait pas beaucoup. La conversation se traînait, sans conviction, comme les gens...

Plus de monde extérieur, d'agitation. A peine un rectangle de soleil...

Manger, boire... Sommeiller et boire à nouveau

pendant que Sylvie s'habillait, tirait ses bas sur ses cuisses avant d'aller travailler...

— A tout à l'heure, parrain !

N'était-ce pas exactement l'histoire de la gentiane du copain ? Et le *Liberty Bar* n'était-il pas le dernier havre, quand on avait tout vu, tout essayé en fait de vices ?

Des femmes sans beauté, sans coquetterie, sans désir, qu'on ne désire pas et qu'on embrasse au front, en leur donnant cent francs pour aller s'acheter des bas, en leur demandant, au retour :

— Bien travaillé ?

Maigret en était un peu oppressé. Il voulait penser à autre chose. Il s'était arrêté devant le port où une légère buée commençait à s'étirer à quelques centimètres de la surface de l'eau.

Il avait dépassé les petits yachts, les voiliers de course. A dix mètres de lui, un matelot amenait le pavillon rouge orné d'un croissant d'un énorme vapeur blanc qui devait appartenir à un pacha quelconque.

Plus près, il lut, en lettres dorées, à l'arrière d'un yacht d'une quarantaine de mètres : *Ardena*.

Il avait à peine évoqué la figure du Suédois de chez Jaja qu'en levant la tête il l'apercevait sur le pont, ganté de blanc, déposant un plateau avec du thé sur une table de rotin.

Le propriétaire était accoudé à la lisse, en compagnie de deux jeunes femmes. Il riait, montrait des dents admirables. Une passerelle longue de trois mètres les séparait de Maigret et celui-ci, haussant les épaules, s'y engagea, faillit éclater de rire en voyant le visage du steward se décomposer.

Il y a des moments comme cela où l'on fait une démarche, moins pour son utilité propre que pour faire quelque chose, ou encore pour s'empêcher de penser.

— Pardon, monsieur...

Le propriétaire avait cessé de rire. Il attendait, tourné vers Maigret, ainsi que les deux femmes.

— Un renseignement, s'il vous plaît. Connaissez-vous un certain Brown ?

— Il a un bateau ?

— Il en a eu un... William Brown...

C'est à peine si Maigret attendait la réponse.

Il regardait son interlocuteur, qui devait avoir quarante-cinq ans et qui était vraiment racé, entre les deux femmes demi-nues sous leur robe.

Il se disait :

— Brown a été comme lui ! Il s'entourait de jolies femmes aussi, bien habillées, dont chaque détail de toilette est étudié pour provoquer le désir ! Il les conduisait, pour les amuser, dans les petites boîtes et offrait du champagne à tout le monde...

On lui répondait, avec un fort accent :

— Si c'est le Brown auquel je pense, il avait jadis ce gros bateau qui est le dernier... Le *Pacific*... Mais il a déjà été vendu deux ou trois fois...

— Je vous remercie.

L'homme et ses deux compagnes ne comprenaient pas très bien le sens de la visite de Maigret. Ils le regardaient s'éloigner et le commissaire entendit fuser un petit rire de femme.

Le *Pacific*... Il n'y avait que deux bateaux de sa taille dans le port, dont celui qui battait pavillon turc.

Seulement le *Pacific* sentait l'abandon. A maints endroits on voyait la tôle sous la peinture écaillée. Les cuivres étaient verdis.

Un petit écriteau misérable, sur le bastingage : *A vendre*.

C'était l'heure où les matelots de yacht, bien lavés, roides dans leur uniforme, s'en vont vers la ville, par groupes, comme des soldats.

Quand Maigret repassa devant l'*Ardena*, il sentit les regards des trois personnages braqués sur lui et il soupçonna le steward de l'épier de quelque recoin du pont.

Les rues étaient éclairées. Maigret eut quelque peine à retrouver le garage, où il n'avait qu'un renseignement à demander.

— A quelle heure Brown, vendredi, est-il venu chercher sa voiture ?

Il fallut appeler le mécanicien.

A cinq heures moins quelques minutes ! Autrement dit, il avait eu juste le temps nécessaire pour regagner le Cap d'Antibes.

— Il était seul ? Personne ne l'attendait dehors ? Et vous êtes sûr qu'il n'était pas blessé ?

William Brown avait quitté le *Liberty Bar* vers deux heures. Qu'avait-il fait pendant trois heures ?

Maigret n'avait plus de raison de s'attarder à Cannes. Il attendit l'autocar, se cala dans un coin, laissant errer un regard flou sur la grand-route où les autos, phares allumés, se suivaient en cortège.

Le premier personnage qu'il aperçut, en descendant du car, place Macé, fut l'inspecteur Boutigues qui était assis à la terrasse du *Café Glacier* et qui se leva précipitamment.

— On vous cherche depuis ce matin !... Asseyez-vous... Qu'est-ce que vous prenez ?... Garçon !... Deux Pernod...

— Pas pour moi !... Une gentiane !... fit Maigret, qui voulait se rendre compte du goût de ce breuvage.

— J'ai d'abord questionné les chauffeurs de taxi. Comme aucun ne vous avait transporté, je me suis adressé aux conducteurs d'autobus. C'est ainsi que j'ai su que vous étiez à Cannes...

Il parlait vite ! Et il y mettait de la passion !

Maigret le regardait malgré lui avec des yeux ronds, ce qui n'empêchait pas le petit inspecteur de poursuivre :

— Il n'y a que cinq ou six restaurants où l'on

puisse manger proprement... J'ai téléphoné à chacun d'eux... Où diable avez-vous pu déjeuner ?...

Boutigues aurait été bien étonné si Maigret lui avait dit la vérité, lui avait parlé du gigot et de la salade à l'ail, dans la cuisine de Jaja, et des petits verres, et de Sylvie...

— Le juge d'instruction ne veut rien faire sans vous avoir consulté... Or, il y a du nouveau... Le fils est arrivé...

— Le fils de qui ?

Et Maigret faisait la grimace, parce qu'il venait de boire une gorgée de gentiane.

— Le fils de Brown... Il était à Amsterdam quand...

Décidément, Maigret avait mal à la tête. Il essayait de concentrer son esprit, mais n'y parvenait qu'avec peine.

— Brown a un fils ?

— Il en a plusieurs... De sa vraie femme, qui habite l'Australie... Un seul est en Europe, où il s'occupe des laines...

— Les laines ?

A ce moment, Boutigues dut avoir une piètre opinion de Maigret. Mais aussi celui-ci était-il toujours au *Liberty Bar* ! Plus exactement, il était en train d'évoquer le garçon de café qui jouait aux courses et à qui Sylvie avait parlé par la fenêtre...

— Oui ! Les Brown sont les plus gros propriétaires d'Australie. Ils élèvent des moutons et expédient la laine en Europe... Un des fils surveille les terres... L'autre, à Sydney, s'occupe des expéditions... Le troisième, en Europe, va d'un port à l'autre, selon que les laines sont destinées à Liverpool, au Havre, à Amsterdam ou à Hambourg... C'est lui qui...

— Et qu'est-ce qu'il dit ?

— Qu'il faut enterrer son père le plus vite possible et qu'il paiera... Il est très pressé... Il doit reprendre l'avion demain soir...

— Il est à Antibes ?

— Non ! A Juan-les-Pins... Il voulait un palace, avec un appartement pour lui seul... Il paraît qu'il doit être relié téléphoniquement toute la nuit à Nice, pour pouvoir téléphoner à Anvers, à Amsterdam et je ne sais où encore...

— Il a visité la villa ?

— Je le lui ai proposé. Il a refusé.

— Alors, qu'est-ce qu'il a fait, en somme ?

— Il a vu le juge ! C'est tout ! Il a insisté pour que les choses aillent vite ! Et il a demandé combien !

— Combien quoi ?

— Combien cela coûterait.

Maigret regardait la place Macé d'un air absent. Boutigues continuait :

— Le juge vous a attendu toute l'après-midi à son bureau. Il ne peut guère refuser le permis d'inhumer, maintenant que l'autopsie a été pratiquée... Le fils Brown a téléphoné trois fois et en fin de compte on lui a promis que l'enterrement pourrait avoir lieu demain à la première heure...

— A la première heure ?

— Oui, pour éviter la foule... C'est pourquoi je vous cherche... On fermera le cercueil ce soir... Si bien que, si vous voulez voir Brown avant que...

— Non !

Vraiment ! Maigret n'avait pas envie de voir le cadavre ! Il connaissait assez William Brown sans cela !

Il y avait du monde à la terrasse. Boutigues remarqua qu'on les observait de plusieurs tables, ce qui n'était pas pour lui déplaire. Néanmoins il murmura :

— Parlons plus bas...

— Où veut-on l'enterrer ?

— Mais... au cimetière d'Antibes... Le corbillard sera à la morgue à sept heures du matin... Il ne me reste qu'à confirmer la chose au fils Brown...

— Et les deux femmes ?

— On n'a rien décidé... Peut-être le fils préférerait-il... ?

— A quel hôtel dites-vous qu'il est descendu ?

— Au *Provençal*. Vous voulez le voir ?

— A demain ! dit Maigret. Je suppose que vous serez à l'enterrement ?

Il était d'une drôle d'humeur. A la fois joyeuse et macabre ! Un taxi le conduisit au *Provençal*, où il fut reçu par un portier, puis par un autre employé à galons, puis enfin par un maigre jeune homme en noir, embusqué derrière un bureau.

— M. Brown ?... Je vais voir s'il est visible... Voulez-vous me dire votre nom ?...

Et des sonneries. Des allées et venues du chasseur. Cela dura au moins cinq minutes, après quoi on vint chercher Maigret pour le conduire à travers d'interminables couloirs vers une porte marquée du numéro 37. Derrière la porte, un cliquetis de machine à écrire. Une voix excédée :

— Entrez !

Maigret se trouva en face de Brown fils, celui des trois chargé du département Laines-Europe.

Pas d'âge. Peut-être trente ans, mais peut-être aussi quarante. Un grand garçon maigre, aux traits déjà burinés, rasé de près, vêtu d'un complet correct, une perle piquée à sa cravate noire rayée de blanc.

Pas une ombre de désordre, ni d'imprévu. Pas un cheveu hors de l'alignement. Et pas un tressaillement à la vue du visiteur.

— Vous permettez un instant ?... Asseyez-vous...

Une dactylo était installée devant la table Louis XV. Un secrétaire parlait anglais au téléphone.

Et Brown fils achevait de dicter un câble, en

anglais, où il était question de dommages-intérêts à cause d'une grève de dockers.

Le secrétaire appela :

— Monsieur Brown....

Et il lui tendit le récepteur du téléphone.

— Allô !... Allô !... Yes !...

Il écouta longtemps, sans un mot d'interruption, trancha enfin, au moment de raccrocher :

— No !

Il appuya sur un timbre électrique, demanda à Maigret :

— Un porto ?

— Merci.

Et, comme le maître d'hôtel se présentait, il commanda néanmoins :

— Un porto !

Il faisait tout cela sans fièvre, mais d'un air soucieux, comme si, de ses moindres faits et gestes, du plus petit tressaillement de ses traits, eussent dépendu les destinées du monde.

— Tapez dans ma chambre ! dit-il à la dactylo en désignant la pièce voisine.

Et, à son secrétaire :

— Demandez le juge d'instruction...

Enfin, il s'assit, soupira en se croisant les jambes :

— Je suis fatigué. C'est vous qui devez faire l'enquête ?

Et il poussa vers Maigret le porto que le domestique apportait.

— C'est une ridicule histoire, n'est-ce pas ?

— Pas si ridicule que ça ! grogna Maigret de son air le moins aimable.

— Je veux dire ennuyeuse...

— Evidemment ! C'est toujours ennuyeux de recevoir un coup de couteau dans le dos et d'en mourir...

Le jeune homme se leva, impatienté, ouvrit la porte de la chambre voisine, fit mine de donner des ordres en anglais, revint vers Maigret à qui il tendit un étui à cigarettes.

— Merci ! Rien que la pipe...

L'autre prit sur un guéridon une boîte de tabac anglais.

— Du gris ! fit Maigret en tirant son paquet de sa poche.

Brown arpentait la pièce à grands pas.

— Vous savez, n'est-ce pas ? que mon père avait une vie très... scandaleuse...

— Il avait une maîtresse !

— Et autre chose ! Beaucoup d'autres choses ! Vous avez besoin de savoir, autrement vous risquez de faire... comment dites-vous ?... gaffe...

Le téléphone l'interrompit. Le secrétaire accourut, répondit cette fois en allemand, tandis que Brown lui adressait des signes négatifs. Cela dura longtemps. Brown s'impatientait. Et, comme le secrétaire n'en finissait pas assez vite, le jeune homme vint lui prendre le récepteur des mains et raccrocha.

— Mon père est venu en France, il y a longtemps, sans ma mère... Et il nous a presque ruinés...

Brown ne tenait pas en place. Tout en parlant, il avait refermé la porte de sa chambre sur le secrétaire. Il toucha du doigt le verre de porto.

— Vous ne buvez pas ?

— Merci !

Il haussa les épaules avec impatience.

— On a nommé un conseil judiciaire... Ma mère a été très malheureuse... Elle a beaucoup travaillé...

— Ah ! c'est votre mère qui a remonté l'affaire ?

— Avec mon oncle, oui !

— Le frère de votre mère, évidemment !

— Yes ! Mon père avait perdu... dignité... oui, la dignité... Alors, il vaut mieux qu'on ne parle pas trop... Vous comprenez ?...

Maigret ne l'avait pas encore quitté du regard et cela semblait mettre le jeune homme hors de lui. Surtout que ce regard lourd était impossible à déchiffrer. Peut-être ne voulait-il rien dire ? Peut-être au contraire était-il terriblement menaçant ?

— Une question, monsieur Brown. Monsieur Harry Brown, à ce que je vois d'après vos bagages. Où étiez-vous mercredi dernier ?

Il fallut attendre que le jeune homme eût parcouru par deux fois la pièce dans toute la longueur.

— Qu'est-ce que vous croyez ?

— Je ne crois rien du tout. Je vous demande seulement où vous étiez.

— Cela a de l'importance ?

— Peut-être que oui, peut-être que non !

— J'étais à Marseille, à cause de l'arrivée du *Glasco* ! Un bateau avec de la laine de chez nous, qui est maintenant à Amsterdam et qui ne peut pas décharger à cause de la grève des dockers...

— Vous n'avez pas vu votre père ?

— Je n'ai pas vu...

— Une autre question, la dernière. Qui faisait une rente à votre père ? Et de combien était-elle ?

— Moi ! Cinq mille francs par mois... Vous voulez raconter ça aux journaux ?

On entendait toujours la machine à écrire, sa sonnerie au bout de chaque ligne, le heurt du chariot.

Maigret se leva, prit son chapeau.

— Je vous remercie !

Brown en était sidéré.

— C'est tout ?

— C'est tout... Je vous remercie...

Le téléphone sonnait encore, mais le jeune homme ne pensait pas à décrocher. Il regardait, comme sans y croire, Maigret se diriger vers la porte.

Alors, désespéré, il saisit une enveloppe sur la table :

— J'avais préparé, pour les œuvres de la police...

Maigret était déjà dans le corridor. Un peu plus tard, il descendait l'escalier somptueux, traversait le hall, précédé d'un larbin en livrée.

A neuf heures, il dînait, tout seul, dans la salle à manger de l'*Hôtel Bacon*, tout en consultant l'annuaire des téléphones. Il demanda, coup sur coup, trois numéros de Cannes. Au troisième seulement, on lui répondit :

— Oui, c'est à côté...

— Parfait ! Voulez-vous être assez aimable pour dire à Mme Jaja que l'enterrement aura lieu demain à sept heures à Antibes... Oui, l'enterrement... Elle comprendra...

Il marcha un peu dans la pièce. De la fenêtre, il apercevait, à cinq cents mètres, la villa blanche de Brown où deux fenêtres étaient éclairées.

Est-ce qu'il avait le courage ?...

Non ! Il avait surtout sommeil !

— Ils ont le téléphone, n'est-ce pas ?

— Oui, monsieur le commissaire ! Voulez-vous que j'appelle ?

Brave petite bonniche en bonnet blanc, qui faisait penser à une souris trottant dans la pièce !

— Monsieur... J'ai une de ces dames à l'appareil...

Maigret prit le récepteur.

— Allô !... Ici, le commissaire... Oui !... Je n'ai pas pu aller vous voir... L'enterrement est à sept heures, demain matin... Comment ?... Non ! Pas ce soir... J'ai du travail... Bonsoir, madame...

Ça devait être la vieille. Et sans doute courait-elle, affolée, annoncer la nouvelle à sa fille. Puis toutes les deux discutaient pour savoir ce qu'elles avaient à faire.

La patronne de l'*Hôtel Bacon* était entrée dans la pièce, souriante, mielleuse.

— Est-ce que la bouillabaisse vous a plu ?... Je l'ai fait faire exprès pour vous, étant donné que...

La bouillabaisse ? Maigret cherchait dans ses souvenirs.

— Ah oui ! Excellente ! Fameuse ! s'empressa-t-il de dire avec un sourire poli.

Mais il ne s'en souvenait pas. C'était noyé dans l'ombre des choses inutiles, pêle-mêle avec Boutigues, l'autobus, le garage...

En fait de détails culinaires, il n'y en avait qu'un qui surnageât : le gigot de chez Jaja... Avec de la salade fleurant l'ail...

Pardon ! il y en avait un autre : l'odeur sucrée du porto qu'il n'avait pas bu, au *Provençal*, et qui se mariait avec l'odeur tout aussi fade du cosmétique de Brown fils.

— Vous me ferez monter une bouteille de Vittel ! dit-il en s'engageant dans l'escalier.

5

L'enterrement de William Brown

Le soleil était déjà capiteux et si, dans les rues de la ville, tous les volets étaient clos, les trottoirs déserts, la vie du marché, elle, avait commencé. Une vie légère, nonchalante de gens qui se lèvent tôt et qui ont du temps devant eux, l'emploient à criailler en italien et en français plutôt qu'à s'agiter.

Or, la mairie dresse sa façade jaune et son double perron au beau milieu du marché. La morgue est en sous-sol.

C'est là, à sept heures moins dix, qu'un corbillard s'arrêta, tout noir, saugrenu, au milieu des fleurs et des légumes. Maigret arriva presque en même temps et vit accourir Boutigues qui, à peine levé de dix minutes, avait omis de boutonner son gilet.

— Nous avons le temps de boire quelque chose... Il n'y a encore personne...

Et il poussait la porte d'un petit bar, commandait du rhum.

— Vous savez que ça a été très compliqué... Le fils n'avait pas pensé à nous dire le prix qu'il voulait mettre pour le cercueil... Hier soir, je lui ai téléphoné... Il m'a répondu que ça lui était égal, mais qu'il fallait de la bonne qualité... Or, il n'y avait plus un seul cercueil en chêne massif à Antibes... On en a apporté un de Cannes, à onze heures du soir... Alors, j'ai pensé à la cérémonie... Est-ce qu'il fallait passer par l'église, oui ou non ?... J'ai retéléphoné au *Provençal* où on m'a dit que Brown était couché... J'ai fait pour le mieux... Regardez !...

Il désigna à cent mètres de là, sur la place du marché, le portail tendu de noir d'une église.

Maigret préféra ne rien dire, mais le fils Brown lui donnait plutôt l'impression d'un protestant que d'un catholique.

Le bar, à l'angle d'une petite rue, avait une porte sur chaque façade. Au moment où Maigret et Boutigues sortaient d'un côté, un homme entrait de l'autre, et le commissaire croisa son regard.

C'était Joseph, le garçon de café de Cannes,

qui se demanda s'il devait saluer ou non et qui se décida pour un geste vague.

Maigret supposa que Joseph avait amené Jaja et Sylvie à Antibes. Il ne se trompait pas. Elles marchaient devant lui, se dirigeant vers le corbillard. Jaja était essoufflée. Et l'autre, qui semblait avoir peur d'arriver trop tard, l'entraînait.

Sylvie portait son petit tailleur bleu qui lui donnait un air de jeune fille comme il faut. Quant à Jaja, elle s'était déshabituée de marcher. Peut-être aussi avait-elle les pieds sensibles, ou les jambes enflées. Elle était vêtue de soie noire très brillante.

N'avaient-elles pas dû se lever toutes les deux vers cinq heures et demie du matin pour prendre le premier autocar ? Un événement unique, sans doute, au *Liberty Bar* !

Boutigues questionnait :

— Qui est-ce ?

— Je ne sais pas... fit vaguement Maigret.

Mais, au même moment, les deux femmes s'arrêtaient, se retournaient, car elles étaient arrivées près du corbillard. Et, comme Jaja apercevait le commissaire, elle se précipita vers lui.

— Nous ne sommes pas en retard ?... Où est-il ?...

Sylvie avait les yeux cernés et toujours cette même réserve hostile à l'égard de Maigret.

— Joseph vous a accompagnées ?

Elle fut sur le point de mentir.

— Qui vous a dit ça ?

Boutigues se tenait à l'écart. Maigret apercevait un taxi qui, ne pouvant traverser la foule du marché, s'arrêtait à un coin de rue.

Les deux femmes qui en sortirent firent sensation, car elles étaient en grand deuil, avec voile de crêpe touchant presque le sol.

C'était inattendu, dans ce soleil, dans ce bourdonnement de vie joyeuse. Maigret murmura à Jaja :

— Vous permettez...

Boutigues était inquiet. Il demandait au croquemort, qui voulait aller chercher le cercueil, de patienter un peu.

— Nous ne sommes pas en retard ?... demandait la vieille. C'est ce taxi qui ne venait pas nous prendre...

Et, tout de suite, son regard repérait Jaja et Sylvie.

— Qui est-ce ?

— Je ne sais pas.

— Je suppose qu'elles ne vont pas se mêler à...

Encore un taxi, dont la portière s'ouvrit avant l'arrêt complet et dont descendit un Harry Brown impeccable, tout en noir, les cheveux blonds bien peignés, le teint frais. Son secrétaire, en noir aussi, l'accompagnait, portant une couronne de fleurs naturelles.

Au même moment Maigret remarqua que Sylvie avait disparu. Il la retrouva au milieu du marché, près des corbeilles d'un fleuriste et, quand elle revint, elle portait un énorme bouquet de violettes de Nice.

Est-ce ce qui donna aux deux femmes en deuil l'idée de s'éloigner à leur tour ? On devinait qu'elles discutaient en s'approchant du marchand. La vieille compta des pièces de monnaie et la jeune choisit des mimosas.

Cependant Brown s'était arrêté à quelques mètres du char funèbre, se contentant d'esquisser un salut à l'adresse de Maigret et de Boutigues.

— Il vaudrait mieux le prévenir de ce que j'ai arrangé pour l'absoute... soupira celui-ci.

La partie du marché la plus proche avait ralenti son rythme et les gens suivaient le spectacle des yeux. Mais, à vingt mètres déjà, c'était le bruissement habituel, les cris, les rires et toutes ces fleurs, ces fruits, ces légumes dans le soleil, et l'odeur d'ail, de mimosa.

Quatre employés portaient le cercueil qui était énorme, garni d'une profusion d'ornements de bronze. Boutigues revenait.

— Je crois que ça lui est égal. Il a haussé les épaules...

La foule s'écartait. Les chevaux se mettaient en marche. Harry Brown, tout raide, le chapeau à la main, s'avançait en regardant la pointe de ses souliers vernis.

Les quatre femmes hésitèrent. Il y eut des

regards échangés. Puis, comme la foule se refermait, elles se trouvèrent sans le vouloir sur un seul rang, juste derrière le fils Brown et son secrétaire.

L'église, dont les portes étaient larges ouvertes, était rigoureusement vide, d'une fraîcheur qui ravissait.

Brown attendit au haut du perron qu'on eût retiré la bière du corbillard. Il avait l'habitude des cérémonies. Cela ne le gênait pas d'être le point de mire de tous les regards.

Mieux, il examinait tranquillement les quatre femmes, sans curiosité exagérée.

Les ordres avaient été donnés trop tard. On s'apercevait au dernier moment qu'on avait oublié de prévenir l'organiste. Le curé appela Boutigues, lui parla bas et quand l'inspecteur revint de la sacristie il annonça, navré, à Maigret :

— Il n'y aura pas de musique... Il faudrait attendre au moins un quart d'heure... Et encore ! l'organiste doit être au maquereau...

Quelques personnes entraient dans l'église, jetaient un coup d'œil et s'en allaient. Et Brown, toujours debout, toujours raide, regardait autour de lui avec la même curiosité paisible.

Ce fut une absoute rapide, sans orgues, sans chantre. Le goupillon éparpilla de l'eau bénite. Et aussitôt après, les quatre porteurs emmenèrent le cercueil.

Il faisait déjà tiède dehors. On passa devant la

vitrine d'un coiffeur dont le commis en blouse blanche levait les volets. Un homme se rasait devant sa fenêtre ouverte. Et les gens qui allaient à leur travail se retournaient, étonnés, sur ce petit cortège de rien du tout dont l'escorte dérisoire ne s'harmonisait pas avec le somptueux corbillard de première classe.

Les deux femmes de Cannes et les deux femmes d'Antibes étaient toujours sur un rang, mais un mètre les séparait. Un taxi vide suivait. Boutigues, qui endossait la responsabilité de la cérémonie, était nerveux.

— Vous croyez qu'il n'y aura pas de scandale ?

Il n'y en eut pas. Le cimetière, avec toutes ses fleurs, était aussi gai que le marché. On y retrouva, près d'une fosse béante, le prêtre et l'enfant de chœur qu'on n'avait pas vus arriver.

Harry Brown fut invité à jeter la première pelletée de terre. Puis il y eut une hésitation. La vieille femme en deuil poussa sa fille, la suivit.

Brown, à grands pas, avait déjà regagné le taxi vide qui attendait à la porte du cimetière.

Hésitation, à nouveau. Maigret se tenait à l'écart, avec Boutigues. Jaja et Sylvie n'osaient pas s'en aller sans lui dire au revoir. Seulement les femmes en deuil les devançaient. Gina Martini pleurait, roulait son mouchoir en boule, sous le voile.

Sa mère questionnait, soupçonneuse :

— C'était son fils, n'est-ce pas ?... Je suppose qu'il va vouloir venir à la villa ?...

— C'est possible ! Je ne sais pas...

— Nous vous verrons aujourd'hui ?

Mais elle ne regardait que Jaja et Sylvie. Elles seules l'intéressaient.

— D'où sortent-elles ?... On n'aurait pas dû permettre à des créatures pareilles...

Des oiseaux chantaient dans tous les arbres. Les fossoyeurs lançaient la terre à un rythme régulier et, à mesure que la fosse se comblait, le bruit était plus mou. Ils avaient déposé la couronne et les deux bouquets sur la tombe voisine, en attendant. Et Sylvie restait tournée de ce côté, le regard fixe, les lèvres pâles.

Jaja s'impatientait. Elle attendait le départ des deux autres pour parler à Maigret. Elle s'épongeait, car elle avait chaud. Et elle devait avoir de la peine à tenir debout.

— Oui... J'irai vous voir tout à l'heure...

Les voiles noirs s'éloignaient vers la sortie. Jaja s'approchait avec un grand soupir de soulagement.

— Ce sont elles ?... Il était vraiment marié ?

Sylvie restait en arrière, regardait toujours la fosse presque comblée.

Et Boutigues s'énervait à son tour. Il n'osait pas venir écouter la conversation.

— C'est le fils qui a payé le cercueil ?

On sentait que Jaja n'était pas à son aise.

— Un drôle d'enterrement ! dit-elle. Je ne sais pas pourquoi, mais je ne me l'étais pas imaginé comme ça... Je n'aurais même pas pu pleurer...

C'est maintenant que l'émotion lui venait. Elle regardait le cimetière et elle était en proie à un malaise vague.

— Ce n'était même pas triste !... On aurait dit...

— On aurait dit quoi ?

— Je ne sais pas... Comme si ce n'était pas un véritable enterrement...

Et elle étouffa un sanglot, s'essuya les yeux, se tourna vers Sylvie.

— Viens... Joseph nous attend...

Le gardien du cimetière, sur son seuil, était occupé à dépecer un congre.

— Qu'est-ce que vous en pensez, vous ?

Boutigues était soucieux. Lui aussi sentait confusément qu'il y avait quelque chose qui n'allait pas. Maigret allumait sa pipe.

— Je pense que William Brown a été assassiné ! répliqua-t-il.

— Evidemment !

Et ils déambulaient dans les rues, où déjà les vélums étaient tendus au-dessus des vitrines. Le coiffeur du matin lisait son journal, assis devant sa porte. Place Macé on aperçut les deux femmes de Cannes et Joseph qui attendaient l'autobus.

— On prend quelque chose à la terrasse ? proposa Boutigues.

Maigret accepta. Il était envahi par une paresse presque accablante. Des images multiples se succédaient sur sa rétine, se confondaient, et il n'essayait même pas d'y mettre de l'ordre.

A la terrasse du *Glacier,* par exemple, il fermait à demi les yeux. Le soleil cuisait ses paupières. Les cils croisés formaient une grille d'ombre derrière laquelle les gens et les choses prenaient un aspect féerique.

Il voyait Joseph qui aidait la grosse Jaja à se hisser sur l'autocar. Puis un petit monsieur tout en blanc, coiffé d'un casque colonial, passait lentement, traînant un chien chow-chow à la langue violette.

D'autres images se mêlaient à la réalité : William Brown, au volant de sa vieille auto, conduisant ses deux femmes de boutique en boutique, avec parfois un simple pyjama sous son pardessus et les joues non rasées.

A cette heure-ci, le fils, de retour au *Provençal*, dans un appartement de style, devait dicter des câbles, répondre au téléphone, aller et venir à grands pas secs et réguliers.

— C'est une affaire étrange ! soupira Boutigues, qui n'aimait pas le silence, en décroisant les jambes et en les croisant en sens inverse. C'est dommage qu'on ait oublié de prévenir l'organiste !

— Oui ! William Brown a été assassiné...

C'était pour lui-même que Maigret répétait ça, pour se convaincre que, malgré tout, il y avait un drame.

Son faux col le serrait. Il avait le front moite. Il regardait avec gourmandise le gros glaçon qui flottait dans son verre.

— Brown a été assassiné... Il est parti de la villa, comme il le faisait chaque mois, pour se rendre à Cannes. Il a laissé son auto au garage. Il est allé chercher dans quelque banque ou chez un homme d'affaires la mensualité que lui assurait son fils. Puis il a passé quelques jours au *Liberty Bar.*

Quelques jours de chaude paresse semblable à celle qui accablait Maigret. Quelques jours en pantoufles, à traîner d'une chaise à l'autre, à manger et à boire avec Jaja, à regarder aller et venir Sylvie demi-nue...

— Le vendredi, à deux heures, il s'en va... A cinq heures, il reprend sa voiture et, un quart d'heure plus tard, il échoue, blessé à mort, sur le perron de la villa où ses femmes le croient ivre et l'invectivent de la fenêtre... Il a environ deux mille francs sur lui, comme d'habitude...

Maigret n'a pas parlé. Tout cela, il l'a pensé, en regardant les passants défiler derrière la grille de ses cils.

Et c'est Boutigues qui murmure :

— Je me demande qui pouvait avoir intérêt à sa mort !

Voilà bien la question dangereuse. Ses deux femmes ? Est-ce qu'elles n'ont pas intérêt, au contraire, à ce qu'il vive le plus longtemps possible puisque, sur les deux mille francs qu'il rapporte chaque mois, elles parviennent à faire des économies ?

Celles de Cannes ? Elles perdront un de leurs rares clients, qui nourrissait toute la maisonnée pendant huit jours chaque mois et qui payait des bas de soie à l'une, des notes d'électricité ou de gaz à l'autre...

Non ! d'intérêt matériel, il n'y a que Harry Brown à en avoir puisque, son père mort, il ne devra plus lui verser sa mensualité de cinq mille francs.

Mais que sont ces cinq mille francs pour une famille qui vend de la laine par cargos entiers ?

Et voilà Boutigues qui soupire :

— Je finirai par croire, comme les gens d'ici, qu'il s'agit d'une affaire d'espionnage...

— Garçon ! remettez-nous ça ! dit Maigret.

Il le regrette aussitôt. Il veut donner contrordre, n'ose pas !

Il n'ose pas par crainte d'avouer sa faiblesse. Et il se souviendra par la suite de cette heure-là, de la terrasse du *Café Glacier*, de la place Macé...

Car c'est un de ses rares moments de faiblesse ! De faiblesse absolue ! L'air est tiède. Une petite fille vend des mimosas au coin de la rue et elle a les pieds nus, les jambes hâlées.

Une grosse torpédo grise, aux accessoires nickelés, passe sans bruit, emportant vers la plage trois jeunes femmes en pyjama d'été et un jeune homme aux petites moustaches de jeune premier.

Cela sent les vacances. La veille aussi, le port de Cannes, au soleil couchant, sentait les vacances, surtout l'*Ardena* dont le propriétaire faisait la roue devant des jeunes filles aux formes savoureuses.

Maigret est habillé de noir, ainsi qu'il l'était toujours à Paris. Il a son chapeau melon, qui n'a rien à faire ici.

Une affiche annonce en lettres bleues, juste devant lui :

Casino de Juan-les-Pins
Grand Gala de la pluie d'or

Et la glace fond doucement dans le verre couleur d'opale.

Des vacances ! Regarder le fond moiré de l'eau, penché sur le bord d'une barque peinte en vert ou en orange... Faire la sieste sous un pin parasol en écoutant bourdonner les grosses mouches...

Mais surtout ne pas s'inquiéter d'un monsieur qu'on ne connaît pas et qui a reçu par hasard un coup de couteau dans le dos !

Ni de ces femmes que Maigret ignorait la veille et dont les figures le hantent, comme si c'était lui qui avait couché avec elles !

Sale métier ! L'air sent le bitume qui fond. Boutigues a piqué un nouvel œillet rouge au revers de son veston gris clair.

William Brown ?... Eh bien ! il est enterré... Qu'est-ce qu'il veut de plus ?... Est-ce que Maigret y est pour quelque chose ?... Est-ce que c'est lui qui a possédé un des plus grands yachts d'Europe ?... Est-ce que c'est lui qui s'est acoquiné avec les deux Martini, la vieille au visage plâtré et la jeune aux formes callipyges ?... Est-ce que c'est lui qui s'enfonçait béatement dans la paresse crapuleuse du *Liberty Bar* ?...

Il y a de petites bouffées tièdes qui vous caressent les joues... Les gens qui passent sont en vacances... Tout le monde est en vacances, ici !... La vie a l'air d'une vacance !...

Même Boutigues, qui ne peut pas se taire et qui murmure :

— Au fond, je suis bien content qu'on ne m'ait pas laissé la responsabilité de...

Alors Maigret cesse de regarder le monde à travers ses cils. Il tourne vers son compagnon un visage un peu congestionné par la chaleur et par la somnolence. Ses prunelles apparaissent brouillées, mais il ne faut que quelques secondes pour qu'elles reprennent leur netteté.

— C'est vrai ! dit-il en se levant. Garçon ! Combien ?...

— Laissez ça.

— Jamais de la vie.

Il jette des coupures sur la table.

Oui, c'est une heure dont il se souviendra, parce que, franchement, il a été tenté de ne pas s'en faire, de laisser aller les choses, comme les autres, en prenant le temps comme il vient.

Et le temps est radieux !

— Vous partez ?... Vous avez une idée de derrière la tête ?

Non ! Sa tête est trop pleine de soleil, de langueurs. Il n'a pas le moindre petit bout d'idée. Et, comme il ne veut pas mentir, il murmure :

— William Brown a été assassiné !

A part lui, il pense :

— Qu'est-ce que ça peut leur f... !

Parbleu ! A toutes ces gens qui se chauffent au soleil comme des lézards et qui assisteront ce soir au *Gala de la pluie d'or.*

— Je vais travailler ! dit-il.

Il serre la main de Boutigues. Il s'éloigne. Il s'arrête pour laisser passer une auto de trois cent mille francs dans laquelle il n'y a, au volant, qu'une jeune fille de dix-huit ans qui fronce les sourcils en regardant devant elle.

— Brown a été assassiné... continue-t-il à se répéter.

Il commence à ne plus sous-estimer le Midi.

Il tourne le dos au *Café Glacier.* Et, pour ne pas retomber dans la tentation, il se dicte, comme à un sous-ordre :

— Découvrir l'emploi du temps de Brown, vendredi, de deux heures à cinq heures de l'après-midi...

Donc, il faut aller à Cannes ! Et prendre l'autocar !

Il l'attend, les mains dans les poches, la pipe aux dents, l'air grognon, sous un réverbère.

6

Le compagnon honteux

Des heures durant, à Cannes, Maigret se livra à un morne travail que l'on confie d'habitude à des inspecteurs. Mais il avait besoin de s'agiter, de se donner l'illusion de l'action.

A la police des mœurs, on connaissait Sylvie, qui figurait sur les registres.

— Je n'ai jamais eu d'ennuis avec elle ! dit le brigadier qui s'occupait de son quartier. Elle est tranquille. Elle passe à peu près régulièrement la visite...

— Et le *Liberty Bar* ?

— On vous en a parlé ? Une drôle de boîte, qui nous a intrigués longtemps et qui continue à intriguer bien des gens ! Au point que presque tous les mois nous recevons une lettre anonyme à son sujet. D'abord, on a soupçonné la grosse Jaja de vendre des stupéfiants. Elle a été mise sous surveillance. Je peux vous affirmer que ce n'est pas vrai... D'autres ont insinué que l'arrière-boutique servait de lieu de réunion à des gens de mœurs spéciales...

— Je sais que c'est faux ! fit Maigret.

— Oui... C'est plus rigolo que tout ça... La mère Jaja attire de vieux types qui n'ont plus envie de rien, que de se soûler en sa compagnie. D'ailleurs, elle a une petite rente, car son mari est mort accidentellement...

— Je sais !

Dans un autre bureau, Maigret se renseigna sur Joseph.

— On le tient à l'œil, parce que c'est un habitué des courses, mais on n'a jamais rien relevé contre lui.

Résultats nuls sur toute la ligne. Les mains dans les poches, Maigret se mit alors à parcourir la ville, avec un air obstiné qui proclamait sa mauvaise humeur.

Il commença par visiter les palaces, où il se fit remettre le livre des voyageurs. Entre-temps, il déjeuna dans un restaurant proche de la gare et à trois heures de l'après-midi il savait que Harry Brown n'avait dormi à Cannes ni pendant la nuit du mardi au mercredi, ni pendant celle du mercredi au jeudi.

C'était dérisoire. S'agiter pour s'agiter !

— Le fils Brown peut être venu de Marseille en auto et être reparti le jour même...

Maigret retourna à la police des mœurs où il prit la photographie de Sylvie que possédait le service. Il avait déjà en poche celle de William Brown, qu'il avait emportée de la villa.

Et il se plongea dans une nouvelle atmosphère : les petits hôtels, surtout ceux qui entourent le port, où l'on peut louer des chambres non seulement à la nuit mais à l'heure.

Les tenanciers devinaient dès l'abord qu'il était de la police. Ce sont des gens qui craignent celle-ci par-dessus tout.

— Attendez, que je demande à la femme de chambre...

Et c'étaient des dégringolades dans des escaliers sombres, toute une cour des miracles que le commissaire découvrait.

— Ce gros-là ?... Non ! je ne me souviens pas de l'avoir vu ici...

C'était la photographie de William Brown que Maigret montrait la première. Puis il exhibait celle de Sylvie.

On la connaissait presque partout.

— Elle est déjà venue... Mais il y a quelque temps...

— La nuit ?

— Oh, non ! quand elle vient avec quelqu'un, c'est toujours « pour un moment »...

Hôtel Bellevue... Hôtel du Port... Hôtel Bristol... Hôtel d'Auvergne...

Et il y en avait encore, la plupart dans des petites rues, la plupart aussi discrets, ne se signalant au passage que par une plaque de marmorite flanquant un corridor béant : *Eau courante. Prix modérés...*

Parfois Maigret montait d'un échelon, trouvait un tapis sur les marches d'escalier... D'autres fois, il rencontrait dans le couloir un couple furtif qui détournait la tête...

Et en sortant il revoyait le port où quelques voiliers de course de six mètres, série internationale, étaient tirés à terre.

Des matelots les peignaient avec soin, tandis que stationnaient çà et là des groupes de curieux.

— Pas d'histoires ! lui avait-on dit à Paris.

Eh bien ! si cela continuait, on serait servi ! Il n'y aurait pas d'histoire du tout, pour la bonne raison que Maigret ne trouverait rien !

Il fumait pipe sur pipe, en bourrant une alors que l'autre n'était pas encore éteinte, car il en avait toujours deux ou trois dans les poches.

Et il prenait le pays en grippe, enrageait parce qu'une femme s'obstinait à lui vendre des coquillages et parce qu'un gamin, qui courait, pieds nus, se jetait dans ses jambes puis le regardait en éclatant de rire.

— Vous connaissez cet homme ?

Il montrait pour la vingtième fois la photographie de William Brown.

— Il n'est jamais venu ici.

— Et cette femme ?

— Sylvie ?... Elle est là-haut...

— Seule ?

L'hôtelier haussa les épaules, cria dans l'escalier :

— Albert !... Descends un instant...

C'était un valet de chambre crasseux, qui regarda le commissaire de travers.

— Sylvie est toujours là-haut ?

— Au 7...

— Ils ont commandé à boire ?

— Rien du tout !

— Alors, ils n'en ont pas pour longtemps ! dit le patron à Maigret. Si vous voulez lui parler, vous n'avez qu'à attendre...

Cela s'appelait l'*Hôtel Beauséjour* et c'était dans une rue parallèle au port, juste en face d'une boulangerie.

Est-ce que Maigret avait envie de revoir Sylvie ? Est-ce qu'il avait une ou des questions à lui poser ?

Il n'en savait rien lui-même. Il était fatigué. Toute son attitude, par protestation, avait quelque chose de menaçant, comme s'il eût été sur le point d'en finir.

Il n'allait pas attendre devant l'hôtel, car la

boulangère d'en face le regardait avec ironie, à travers sa vitrine.

Est-ce que Sylvie avait tant d'amateurs que parfois l'un d'eux dût attendre son tour en bas ? C'était cela ! Et Maigret était furieux qu'on le prît pour un client de la fille.

Il gagna le coin de la rue, avec l'idée de faire, pour passer le temps, le tour du pâté de maisons. Comme il arrivait sur le quai, il se retourna sur un taxi qui stationnait au bord du trottoir et dont le chauffeur faisait les cent pas.

Il ne put préciser tout de suite ce qui le frappait. Il dut se retourner deux fois. Ce n'était pas tant l'auto que l'homme qui lui rappelait quelque chose et soudain son image s'associa au souvenir de l'enterrement du matin.

— Vous êtes d'Antibes, n'est-ce pas ?

— De Juan-les-Pins !

— C'est bien vous qui, ce matin, avez suivi un enterrement jusqu'au cimetière...

— Oui ! Pourquoi ?

— Est-ce le même client que vous avez amené ici ?

Le chauffeur regardait son interlocuteur des pieds à la tête sans trop savoir ce qu'il devait répondre.

— Pourquoi me demandez-vous cela ?

— Police... Alors ?...

— C'est le même... Depuis hier à midi, il m'a pris à la journée.

— Où est-il en ce moment ?

— Je ne sais pas... Il est parti par là...

Et le chauffeur désignait une rue, questionnait avec une soudaine inquiétude :

— Dites donc ! vous n'allez pas l'arrêter avant qu'il m'ait payé ?

Maigret en oubliait de fumer. Il resta un bon moment immobile, à fixer le capot démodé du taxi, puis soudain, frôlé par l'idée que le couple aurait peut-être quitté l'hôtel, il se précipita vers le *Beauséjour*.

La boulangère le vit arriver, interpella son mari qui était au fond de la boutique et qui approcha de la vitre un visage enfariné.

Tant pis ! Maintenant, Maigret s'en moquait.

— Chambre 7...

En regardant la façade, il essayait de deviner laquelle des fenêtres aux rideaux clos correspondait à la chambre 7. Il n'osait pas encore se réjouir.

Et pourtant... Non ! ce n'était pas une coïncidence... C'était la première fois, au contraire, que deux éléments de cette affaire s'enchaînaient...

Sylvie et Harry Brown se retrouvant dans un garni du port !...

Vingt fois il eut le temps de parcourir les cent mètres le séparant du coin du quai. Vingt fois il revit le taxi à la même place. Quant au chauffeur, il était venu se camper au bout de la rue de façon à surveiller lui-même son client...

Enfin la porte vitrée du fond du couloir s'ouvrit. Sylvie, qui marchait vite, déboucha sur le trottoir et faillit se heurter à Maigret.

— Bonjour ! lui lança-t-il.

Elle s'immobilisa. Jamais encore il ne l'avait vue aussi pâle. Et, quand elle ouvrit la bouche, il n'en sortit aucun son.

— Votre compagnon se rhabille ?

Elle tournait la tête en tous sens comme une girouette. Sa main lâcha le sac que Maigret ramassa. Elle le lui arracha littéralement comme si elle eût craint par-dessus tout de le lui voir ouvrir.

— Un instant !

— Pardon... On m'attend... Marchons, voulez-vous ?...

— Justement, je ne veux pas marcher... Surtout dans cette direction...

Elle était plus émouvante que jolie, à cause des grands yeux qui lui rongeaient tout le visage. On la sentait en proie à une nervosité douloureuse, à une angoisse qui lui coupait le souffle.

— Qu'est-ce que vous me voulez ?

Est-ce qu'elle n'était pas sur le point de s'enfuir en courant ? Pour l'en empêcher, Maigret lui prit la main qu'il garda dans la sienne, dans un geste qui, pour les boulangers d'en face, pouvait passer pour un geste d'affection.

— Harry est toujours là ?

— Je ne comprends pas...

— Eh bien ! nous allons l'attendre ensemble... Attention, petit !... Pas de bêtises... Laissez ce sac en paix...

Car Maigret l'avait repris. A travers l'étoffe soyeuse, il croyait reconnaître la consistance d'une liasse de billets de banque.

— Pas de scandale !... Il y a des gens qui nous regardent...

Et des passants ! Ils devaient croire que Maigret et Sylvie débattaient une simple question de tarif.

— Je vous en supplie...

— Non !

Et, plus bas :

— Si vous n'êtes pas tranquille, je vous passe les menottes !

Elle le regarda avec des prunelles encore agrandies par l'effroi puis, découragée ou matée, elle baissa la tête.

— Harry n'a pas l'air pressé de descendre...

Elle ne dit rien, ne tenta pas de nier, de le détromper.

— Vous le connaissiez déjà ?

Ils étaient en plein soleil. Sylvie avait le visage humide.

Elle semblait chercher désespérément une inspiration qu'elle ne trouvait pas.

— Ecoutez...

— J'écoute !

Mais non ! Elle changeait d'avis ! Elle ne disait plus rien. Elle se mordait cruellement la lèvre.

— Joseph vous attend quelque part ?

— Joseph ?

C'était de l'affolement, de la panique. Et voilà que maintenant on entendait des pas dans l'escalier de l'hôtel. Sylvie tremblait, n'osait pas regarder vers le couloir noyé d'ombre.

Les pas se rapprochaient, sonnaient sur les dalles. La porte vitrée s'ouvrait, se refermait, et il y avait soudain un temps d'arrêt.

Harry Brown, qu'on ne distinguait pas dans la pénombre et qui avait vu le couple ! Ce fut bref. Il se remit en marche. Il paya de culot. Il passa, sans une hésitation, le corps droit, en adressant un bref salut à Maigret.

Celui-ci tenait toujours le poignet inerte de Sylvie. Pour rejoindre Brown, qu'on ne voyait plus que de dos, il fallait lâcher celle-ci.

Une scène ridicule à jouer sous les fenêtres de la boulangère !...

— Venez avec moi ! dit-il à sa compagne.

— Vous m'arrêtez ?

— Ne vous inquiétez pas de ça...

Il devait téléphoner tout de suite. Il ne voulait à aucun prix livrer Sylvie à elle-même. Il y avait des cafés dans les environs. Il entra dans l'un d'eux et entraîna la jeune femme avec lui dans la cabine.

Quelques instants plus tard, il avait l'inspecteur Boutigues au bout du fil.

— Courez à l'*Hôtel Provençal*. Priez poliment mais fermement Harry Brown de ne pas quitter Antibes avant mon arrivée. Au besoin, empêchez-le de sortir...

Et Sylvie écoutait, effondrée. Elle n'avait plus de ressort, plus la moindre velléité de révolte.

— Qu'est-ce que vous buvez ? lui demanda-t-il, revenu à sa table.

— Cela m'est égal.

Il surveillait surtout le sac à main. Le garçon les observait, sentant qu'il se passait quelque chose d'anormal. Et, comme une fillette qui allait de table en table venait offrir un bouquet de violettes, Maigret le prit, le tendit à sa compagne, fouilla ses poches avec un air ennuyé et, au moment où on s'y attendait le moins, prit le sac.

— Vous permettez ?... Je n'ai pas de monnaie...

Cela s'était fait si vite, d'une façon si naturelle, qu'elle n'eut pas le temps de protester. A peine une crispation passagère des doigts sur la poignée du sac.

La petite fille attendait sagement en choisissant un autre bouquet dans sa corbeille. Maigret sous une grosse liasse de billets de mille francs cherchait de la menue monnaie.

— Maintenant, allons !... dit-il en se levant.

Il était nerveux aussi. Il avait hâte d'être

ailleurs, de n'avoir plus de regards curieux braqués sur lui.

— Si nous allions dire bonsoir à cette brave maman Jaja ?

Sylvie suivait docilement. Elle était matée. Et rien ne les distingua des autres couples qui passaient, sinon que c'était Maigret qui tenait précieusement le sac de sa compagne.

— Passez la première !

Elle pénétra dans le bar en descendant une marche, se dirigea vers la porte vitrée du fond. On apercevait, derrière le rideau de tulle, le dos d'un homme qui se leva vivement à l'arrivée du couple.

C'était Yan, le steward suédois, qui devint rouge jusqu'aux oreilles en reconnaissant Maigret.

— Encore vous ?... Eh bien ! mon ami, vous me feriez plaisir en allant vous promener...

Jaja ne comprenait pas. Le visage de Sylvie lui disait clairement qu'il se passait quelque chose d'anormal. Et elle ne demandait pas mieux que de voir disparaître le marin.

— Tu viens demain, Yan ?

— Je ne sais pas...

Sa casquette à la main, il ne savait comment s'en aller, troublé qu'il était par le regard lourd du commissaire.

— Oui... Ça va... Au revoir... lui dit celui-ci avec impatience, en ouvrant et en refermant la porte pour livrer passage au steward.

Il donna un tour de clef, d'un geste brusque. Il dit à Sylvie :

— Tu peux retirer ton chapeau.

Jaja risquait d'une voix timide :

— Vous vous êtes rencontrés...

— Justement ! Nous nous sommes rencontrés.

Elle n'osait même pas offrir à boire, tant elle sentait d'orage dans l'air. Par contenance, elle ramassa un journal qui traînait par terre, le replia, puis alla surveiller quelque chose sur son fourneau.

Maigret bourrait une pipe, tout doucement. Il s'approchait du fourneau à son tour et, roulant un morceau de journal, l'allumait dans le foyer.

Sylvie restait debout près de la table. Elle avait enlevé son chapeau et l'avait posé devant elle.

Alors, Maigret s'assit, ouvrit le sac, commença à compter les billets de banque qu'il aligna parmi les verres sales.

— Dix-huit... dix-neuf... vingt... Vingt mille francs !...

Jaja s'était retournée d'une seule pièce et regardait les billets avec ahurissement. Puis elle regardait Sylvie, puis le commissaire. Elle faisait un violent effort pour comprendre.

— Qu'est-ce que... ?

— Oh ! rien d'extraordinaire ! grommela Maigret. Sylvie a déniché un amoureux plus généreux que les autres, voilà tout ! Et savez-vous comment il s'appelle ? Harry Brown...

Il était installé comme chez lui, les coudes sur la table, la pipe aux dents, son chapeau melon renversé sur la nuque.

— Vingt mille francs pour « un petit moment », comme ils disent à l'*Hôtel Beauséjour*...

Par contenance, Jaja essuyait à son tablier ses mains boudinées. Elle n'osait plus rien dire. Elle était sidérée.

Et Sylvie, exsangue, les traits tirés, ne regardait personne, ne regardait que le vide devant elle, s'attendant désormais aux pires coups du sort.

— Tu peux t'asseoir ! lança Maigret.

Elle obéit machinalement.

— Toi aussi, Jaja... Attends... Donne d'abord des verres propres...

Sylvie était juste à la même place que la veille, quand elle mangeait, le peignoir entrouvert, les seins nus à quelques centimètres de son assiette.

Jaja posait une bouteille et des verres sur la table, s'asseyait tout au bord de sa chaise.

— Et maintenant, mes enfants, j'attends...

La fumée de sa pipe montait lentement vers le soupirail qui était bleuté, car le soleil ne l'atteignait plus. Jaja regardait Sylvie...

Et celle-ci ne regardait toujours rien, ne disait rien, absente ou butée.

— J'attends...

Il aurait pu répéter ça cent fois, et attendre dix ans ! Jaja fut seule à soupirer en écrasant son menton sur la poitrine :

— Mon Dieu !... Si je m'attendais...

Quant à Maigret, il pouvait à peine se contenir. Il se levait. Il marchait de long en large. Il grommelait :

— Il faudra bien que...

Cette statue le mettait en rage. Une fois, deux fois, trois fois, il passa près de Sylvie toujours figée.

— J'ai le temps... Mais...

A la quatrième fois, il n'y tint plus. Ce fut machinal. Sa main saisit l'épaule de la jeune femme et il ne se rendit pas compte de la puissance de l'étreinte.

Elle leva un bras qu'elle tint devant son visage, comme une petite fille qui craint d'être battue.

— Eh bien ?...

Elle céda, sous la douleur. Elle cria, tout en éclatant en sanglots :

— Brute !... Sale brute !... Je ne dirai rien... Rien !... Rien !...

Jaja en était malade. Maigret, le front têtu, se laissait tomber sur sa chaise. Et Sylvie continuait à pleurer sans se cacher la figure, sans s'essuyer les yeux, à pleurer de rage plutôt que de douleur.

— ... Rien !... lâchait-elle encore machinalement entre deux sanglots.

La porte du bar s'ouvrait, ce qui n'arrivait pas deux fois par jour ; un client s'accoudait au comptoir de zinc, tournait la manivelle de la machine à sous.

7

La consigne

Maigret se leva avec impatience et, pour éviter il ne savait quelle manœuvre des deux femmes — le client pouvait être, par exemple, un émissaire de Joseph ! —, il préféra pénétrer lui-même dans le bar.

— Qu'est-ce que vous voulez ?

L'autre fut si désemparé que, malgré sa mauvaise humeur, le commissaire faillit éclater de rire. C'était un bonhomme terne, entre deux âges, aux poils gris, qui avait dû raser les murs pour arriver jusque-là en faisant des rêves d'un érotisme échevelé. Or, c'était Maigret qui surgissait, bourru, derrière le comptoir !

— Un bock... balbutia-t-il en lâchant la manette de l'appareil à sous.

Derrière les rideaux, le commissaire voyait les deux femmes se rapprocher l'une de l'autre. Jaja questionnait. Sylvie répondait avec lassitude.

— Il n'y a pas de bière !

Du moins, Maigret n'en apercevait-il pas à portée de sa main !

— Alors, ce que vous voudrez... Un porto...

On lui versa un liquide quelconque, dans le premier verre venu, et il ne fit qu'y tremper les lèvres.

— Combien ?

— Deux francs !

Maigret regardait tour à tour la ruelle encore chaude de soleil, le petit bar d'en face où il devinait des silhouettes mouvantes, l'arrière-boutique où Jaja reprenait sa place.

Le client s'en allait en se demandant dans quelle maison il était tombé et Maigret regagnait la seconde pièce, prenait place sur sa chaise à califourchon.

L'attitude de Jaja avait quelque peu changé. Tout à l'heure, elle était surtout inquiète et on devinait qu'elle ne savait que penser. Maintenant, son inquiétude était précise. Elle réfléchissait en regardant Sylvie, avec à la fois de la pitié et une pointe de rancune. Elle semblait dire : « C'est malin de s'être mise dans une situation pareille ! Et cela ne va pas être simple, maintenant, de s'en tirer ! »

Elle risqua à voix haute :

— Vous savez, monsieur le commissaire... les hommes sont si étranges...

La conviction manquait. Elle le sentait. Sylvie aussi, qui haussa les épaules.

— Il l'a vue ce matin à l'enterrement et il en aura eu envie... Il est si riche que...

Maigret soupira, alluma une nouvelle pipe et laissa son regard errer vers le soupirail.

L'atmosphère était lugubre. Jaja se décidait au silence par crainte d'empirer les choses. Sylvie ne pleurait pas, ne bougeait plus, attendait on ne savait quoi.

Il n'y avait que le petit réveille-matin à poursuivre sa vie laborieuse et à pousser sur le cadran blême les aiguilles noires qui semblaient trop lourdes pour lui.

— Tic tac, tic tac, tic tac...

A certains moments, c'était un véritable vacarme. Un chat blanc, dans la cour, vint s'asseoir juste devant le soupirail.

— Tic tac, tic tac, tic tac...

Jaja, qui n'était pas faite pour le drame, se leva et alla prendre une bouteille d'alcool dans l'armoire. Comme si rien n'était, elle en remplit trois verres, en poussa un devant Maigret, l'autre devant Sylvie, mais sans mot dire.

Les vingt mille francs étaient toujours sur la table, à côté du sac à main.

— Tic tac, tic...

Cela dura une heure et demie ! Une heure et

demie de silence, avec seulement les soupirs de Jaja qui buvait et dont les yeux devenaient luisants.

Parfois des gamins jouaient et criaient dans la ruelle. D'autres fois, on entendait la sonnerie obstinée d'un tramway lointain. La porte du bar s'ouvrit. Un Arabe passa la tête dans l'entrebâillement, cria :

— Cacahuètes ?

Il attendit un moment et, ne recevant pas de réponse, referma la porte et disparut.

Il était six heures quand la porte s'ouvrit à nouveau et cette fois il y eut dans l'arrière-boutique comme une vibration qui annonçait que c'était l'événement attendu. Jaja faillit se lever pour courir vers le bar, mais un regard de Maigret la retint. Sylvie, pour marquer son indifférence, détourna la tête.

La seconde porte s'ouvrait. Joseph entrait, voyait d'abord le dos de Maigret, puis la table, les verres, la bouteille, le sac à main ouvert, les billets.

Le commissaire se retournait lentement et le nouveau venu, immobile, se contenta de grommeler :

— Merde !

— Fermez la porte... Asseyez-vous...

Le garçon de café ferma la porte, mais ne

s'assit pas. Il avait les sourcils froncés, l'air contrarié, mais il ne perdait pas son sang-froid. Au contraire ! Il le reprenait. Il s'approchait de Jaja et l'embrassait au front.

— Bonjour...

Puis il en faisait autant avec Sylvie, qui ne leva pas la tête.

— Qu'est-ce qu'il y a ?...

Dès ce moment-là, Maigret comprit qu'il tenait le mauvais bout. Mais, comme toujours en pareil cas, il s'obstina d'autant plus qu'il sentait qu'il s'enferrait davantage.

— D'où venez-vous ?

— Devinez !

Et il tira un portefeuille de sa poche, y chercha un petit carnet qu'il tendit à Maigret. C'était un carnet d'identité, du modèle qu'on délivre aux étrangers résidant en France.

— J'étais en retard... Je suis allé le renouveler à la Préfecture...

Le carnet portait en effet la date du jour, le nom : *Joseph Ambrosini, né à Milan, exerçant la profession d'employé d'hôtel.*

— Vous n'avez pas rencontré Harry Brown ?

— Moi ?

— Et vous ne l'avez pas rencontré une première fois mardi ou mercredi dernier ?

Joseph le regardait en souriant, avec l'air de dire : « Qu'est-ce que vous racontez ? »

— Dites donc, Ambrosini ! Je suppose que vous avouez que vous êtes l'amant de Sylvie...

— C'est à voir ce que vous entendez par là... Il m'est arrivé, mon Dieu...

— Mais non ! Mais non ! Vous êtes ce que l'on appelle par euphémisme son protecteur...

Pauvre Jaja ! Elle n'avait jamais été aussi malheureuse de sa vie. L'alcool qu'elle avait bu devait déformer sa vision des choses. De temps en temps, elle ouvrait la bouche pour intervenir en conciliatrice et on devinait qu'elle avait envie de dire : « Allons, mes enfants ! Mettez-vous d'accord ! Est-ce que c'est vraiment la peine de se donner tout ce mal ? On va trinquer ensemble et... »

Quant à Joseph, il était évident que ce n'était pas son premier match avec la police. Il était sur ses gardes. Son sang-froid était parfait, sans ostentation.

— Vos renseignements sont faux...

— Si bien que vous ignorez ce que représentent ces vingt mille francs ?

— Je suppose que Sylvie les a gagnés... Elle est assez belle fille pour...

— Suffit !

Il était à nouveau debout. Il arpentait la petite pièce. Sylvie regardait à ses pieds. Joseph, lui, ne baissait pas les yeux.

— Tu prendras bien un petit verre ! lui dit Jaja pour qui c'était l'occasion de se verser à boire.

Et Maigret hésitait à se décider. Il s'arrêta un long moment devant le réveille-matin qui marquait six heures et quart. Quand il se retourna, ce fut pour articuler :

— Eh bien ! vous allez me suivre tous les deux... Je vous arrête !...

Ambrosini ne tressaillit même pas, se contenta de murmurer avec un rien d'ironie :

— Comme vous voudrez !

Le commissaire mettait les vingt billets de mille francs dans sa poche, tendait à Sylvie son chapeau et son sac.

— Est-ce que je vous passe les menottes ou bien me donnez-vous votre parole de...

— On ne vous faussera pas compagnie, allez !

Jaja sanglotait dans les bras de Sylvie. Celle-ci essayait de se débarrasser de cette étreinte. Et on eut toutes les peines du monde à empêcher la grosse femme de suivre le groupe dans la rue.

Les lampes s'allumaient. C'était à nouveau l'heure molle. On passa près de la rue où se dressait l'*Hôtel Beauséjour*. Mais Joseph n'eut pas un regard dans cette direction.

A la police, l'équipe de jour s'en allait. Le secrétaire se hâtait de faire signer les pièces au commissaire.

— Vous m'enfermerez ces deux personnages séparément... Je viendrai sans doute les voir demain...

Sylvie s'était assise sur le banc, au fond du

bureau. Joseph roulait une cigarette qu'un agent en uniforme lui arracha des mains.

Et Maigret s'en alla sans rien dire, se retourna une fois encore vers Sylvie qui ne le regardait pas, haussa les épaules et grogna :

— Tant pis !

Calé sur une banquette de l'autocar, il ne remarqua même pas que celui-ci était bondé et qu'une vieille dame restait debout à côté de lui. Tourné vers la vitre, suivant du regard les phares des autos qui défilaient, il fumait rageusement et la vieille dame dut se pencher, murmurer :

— Pardon, monsieur...

Il eut l'air de sortir d'un rêve. Il se leva précipitamment, ne sut où jeter ses cendres brûlantes, donna un tel spectacle de désarroi qu'un jeune couple, derrière lui, pouffa de rire.

A sept heures et demie, il poussait la porte tournante du *Provençal*, trouvait l'inspecteur Boutigues installé dans un fauteuil du hall où il conversait avec le gérant.

— Eh bien ?

— Il est là-haut... répliqua Boutigues, qui paraissait troublé.

— Vous lui avez dit...

— Oui... Il ne s'est pas étonné... Je m'attendais à des protestations...

Le gérant attendait le moment de poser une

question mais, dès qu'il ouvrit la bouche, Maigret se hâta vers l'ascenseur.

— Je vous attends ? lui cria Boutigues.

— Si vous voulez...

Il connaissait si bien l'état d'esprit dans lequel il se trouvait depuis deux ou trois heures ! Et il enrageait, comme il enrageait toujours dans ces cas-là ! Ce qui ne l'empêchait pas d'être incapable de réagir...

La sensation confuse de la gaffe... Cette sensation, il l'avait depuis sa rencontre avec Sylvie, à la porte de l'hôtel...

Et pourtant quelque chose le poussait à aller de l'avant !

Pis encore ! Il fonçait d'autant plus fougueusement qu'il voulait se persuader à lui-même qu'il avait raison !

L'ascenseur montait, dans un glissement d'acier bien graissé. Et Maigret se répétait la consigne reçue :

— Surtout, pas d'histoires !

C'était pour cela qu'il était à Antibes ! Pour éviter les histoires, le scandale !

A d'autres moments, il serait entré dans l'appartement de Brown sans sa pipe. Il l'alluma exprès. Il frappa. Il entra aussitôt. Et il se trouva dans la même atmosphère exactement que la veille :

Brown qui allait et venait, impeccable, en donnant des ordres à son secrétaire, en répondant au téléphone et en achevant de dicter un câble pour Sydney.

— Vous permettez un instant ?

Pas trace d'anxiété ! Cet homme-là était à son aise dans toutes les circonstances de la vie ! Est-ce qu'il avait bronché, le matin, alors qu'il conduisait le deuil de son père dans des conditions si extraordinaires ? Est-ce que la présence des quatre femmes l'avait démonté le moins du monde ?

Et l'après-midi, au sortir de l'hôtel borgne, il ne s'était pas troublé ! Il n'avait pas eu une seconde d'hésitation !

Il continuait à dicter. En même temps, il posait une boîte de cigares sur le guéridon qui était en face de Maigret, pressait le timbre électrique.

— Vous emporterez le téléphone dans ma chambre, James.

Et, au maître d'hôtel qui se présentait :

— Un whisky !

Quelle part y avait-il de pose et quelle part de naturel dans cette attitude ?

— Affaire d'éducation ! songeait Maigret. Il a dû être élevé à Oxford ou à Cambridge...

Et c'était une vieille rancune d'élève de Stanislas ! Une rancune mêlée d'admiration !

— Vous emporterez votre machine, mademoiselle.

Eh bien, non ! Brown voyait la dactylo embarrassée de son bloc-notes et de ses crayons. Et il prenait lui-même la lourde machine à écrire, la transportait dans la chambre voisine, fermait la porte à clef.

Puis il attendait que le maître d'hôtel eût apporté le whisky, désignait Maigret à qui on servait l'alcool.

Quand ils furent en tête à tête, seulement, il tira son portefeuille de sa poche, y prit une feuille de papier timbré sur laquelle il jeta un coup d'œil avant de la tendre au commissaire.

— Lisez... Vous comprenez l'anglais ?...

— Assez mal.

— C'est le papier que j'ai acheté vingt mille francs, cet après-midi, à l'*Hôtel Beauséjour*.

Il s'assit. Ce geste était comme une détente.

— Je dois d'abord vous expliquer quelques petites choses... Vous connaissez l'Australie ?... C'est dommage... Mon père, avant son mariage, possédait une très grande propriété... Grande comme un département français... Après son mariage, il était le plus gros éleveur de moutons australien, parce que ma mère avait apporté en dot une propriété presque aussi importante...

Harry Brown parlait lentement, s'ingéniait à ne pas prononcer de paroles inutiles, à être clair.

— Vous êtes protestant ? questionna Maigret.

— Toute la famille. Et celle de ma mère aussi !

Il allait reprendre. Maigret l'interrompit.

— Votre père n'a pas fait ses études en Europe, n'est-ce pas ?

— Non ! Ce n'était pas encore la mode... Il est venu seulement après son mariage... Cinq ans après, quand il avait déjà trois enfants...

Tant pis si Maigret se trompait ! Dans son esprit, il mettait tout cela en images. Il traçait à grands traits une maison immense, mais sévère, au milieu des terres. Et des gens graves ressemblant à des pasteurs presbytériens.

William Brown qui prenait la succession de son père, se mariait, faisait des enfants et ne s'occupait que de ses affaires...

— Un jour il a dû venir en Europe, à cause d'un procès...

— Tout seul ?

— Il est venu tout seul !

C'était tellement simple ! Paris ! Londres ! Berlin ! La Côte d'Azur ! Et Brown qui s'apercevait qu'avec sa fortune colossale il était, dans un monde brillant, plein de séductions, quelque chose comme un roi !

— Et il n'est pas retourné là-bas ! soupira Maigret.

— Non ! Il a voulu...

Le procès traînait. Les gens avec qui l'éleveur de moutons était en rapport le conduisaient dans les endroits où l'on s'amuse. Il entrait en relation avec des femmes.

— Pendant deux ans, il remettait sans cesse son retour...

— Qui le remplaçait là-bas à la tête de ses affaires ?

— Ma mère... Et le frère de ma mère... On a reçu des lettres de gens du pays disant que...

Cela suffisait ! Maigret était plus que renseigné ! Brown qui n'avait jamais connu que ses terres, ses moutons, ses voisins et des pasteurs faisait une bombe effrénée, s'offrait tous les plaisirs insoupçonnés jusque-là...

Il remettait son retour à plus tard... Il faisait traîner le procès... Le procès fini, il trouvait de nouvelles excuses pour rester...

Il avait acheté un yacht... Il faisait partie des quelques douzaines de personnages qui peuvent tout s'acheter, tout se permettre...

— Votre mère et votre oncle sont parvenus à le placer sous conseil judiciaire ?

Aux antipodes, on se défendait ! On obtenait des jugements ! Et un beau matin, à Nice ou à Monte-Carlo, William Brown se réveillait avec, pour toute fortune, une pension alimentaire !

— Longtemps, il a continué à faire des dettes et nous avons payé... dit Harry.

— Puis vous n'avez plus payé ?

— Pardon ! J'ai continué à verser une pension de cinq mille francs par mois...

Maigret sentait que ce n'était pas encore net. Il ressentait un vague malaise qu'il traduisit par une question brusque :

— Qu'est-ce que vous êtes venu proposer à votre père, quelques jours avant sa mort ?

C'était en vain qu'il épiait son interlocuteur. Brown ne se troublait pas, répondait avec son habituelle simplicité :

— Malgré tout, il avait encore des droits, n'est-ce pas ?... Depuis quinze ans, il faisait opposition au jugement... C'est un grand procès là-bas... Cinq avocats travaillent seulement pour cela... Et, en attendant, on vit sous un régime provisoire qui empêche de réaliser de grosses opérations...

— Un instant... D'un côté, votre père, tout seul, vivant en France et représenté en Australie par des gens de loi qui défendent ses intérêts.

— Des gens de loi qui ont une mauvaise réputation...

— Evidemment !... Dans l'autre camp, votre mère, votre oncle, vos deux frères et vous...

— Yes !... Je veux dire oui !...

— Et qu'est-ce que vous offriez à votre père pour disparaître complètement de la circulation ?

— Un million !

— Autrement dit, il y gagnait, puisque vous lui versiez une pension inférieure à l'intérêt de cette somme, bien placée... Pourquoi refusait-il ?...

— Pour nous faire enrager !

Harry dit cela très gentiment. Il ne savait sans

doute pas que ce mot était quelque peu incongru dans sa bouche.

— C'était une idée fixe... Il ne voulait pas nous laisser en paix...

— Donc, il a refusé...

— Oui ! Et il m'a annoncé qu'il s'arrangerait pour que, même après sa mort, les ennuis continuent...

— Quels ennuis ?

— Le procès ! Là-bas, cela nous fait beaucoup de tort...

Est-ce qu'il y avait encore besoin d'explications ? Il suffisait d'évoquer le *Liberty Bar,* Jaja, Sylvie à demi nue, William qui apportait des provisions... Ou la villa et les deux Martini, la jeune et la vieille, et la bagnole dans laquelle on les conduisait au marché...

Puis de regarder Harry Brown, qui représentait l'élément ennemi, l'ordre, la vertu, le droit, avec ses cheveux bien lissés, son complet correct, son sang-froid, sa politesse un peu distante, ses secrétaires...

— Pour nous faire enrager !...

La figure de William devenait plus vivante ! Longtemps pareil à son fils, à tous ceux de *là-bas*, il avait rompu avec l'ordre, la vertu, la bonne éducation...

Il était devenu l'ennemi, qu'on avait rayé purement et simplement des cadres de la famille...

Il s'obstinait, parbleu ! Il savait bien qu'il

n'aurait pas gain de cause ! Il savait bien que désormais il était le maudit !...

Mais il les ferait enrager !...

N'était-il pas capable de n'importe quoi pour cela ?... Les faire enrager, sa femme, son beau-frère, ses enfants qui le reniaient, qui continuaient à travailler pour gagner de l'argent, toujours plus d'argent...

— Lui mort, n'est-ce pas, expliquait posément Harry, le procès s'éteignait et tous les ennuis, toutes ces histoires scandaleuses qui font la joie des mauvaises gens de chez nous...

— Evidemment !

— Alors, il a rédigé un testament... Il ne peut pas déshériter sa femme et ses enfants... Mais il peut disposer d'une partie de sa fortune... Savez-vous au profit de qui il l'a fait ?... De quatre femmes...

Maigret faillit éclater de rire. En tout cas, il ne put s'empêcher de sourire en imaginant les deux Martini, la mère et la fille, puis Jaja et Sylvie arrivant en Australie pour défendre leurs droits...

— C'est ce testament que vous avez à la main ?...

Il était long, établi dans toutes les règles, par-devant notaire.

— C'est à cela que mon père faisait allusion en disant que, même après sa mort, les histoires continueraient...

— Vous en connaissiez les termes ?

— Ce matin encore, je ne savais rien... Quand je suis rentré au *Provençal*, après l'enterrement, un homme m'attendait...

— Un nommé Joseph ?

— Une sorte de garçon de café... Il m'en a montré une copie... Il m'a dit que si je voulais lui racheter l'original, je n'avais qu'à me rendre dans un hôtel de Cannes et apporter vingt mille francs... Cette sorte de gens n'a pas l'habitude de mentir...

Maigret avait pris une attitude sévère.

— Autrement dit, vous étiez disposé à détruire un testament ! Il y a même commencement d'exécution...

Brown ne se troubla pas plus que précédemment.

— Je sais ce que je fais ! dit-il avec calme. Et je sais ce que sont ces femmes...

Il se leva, regarda le verre plein de Maigret.

— Vous ne buvez pas ?

— Merci !

— N'importe quel tribunal comprendra que...

— Que le groupe de *là-bas* doit gagner...

Qu'est-ce qui avait poussé Maigret à dire cela ? Le vertige de la gaffe ?

Harry Brown ne broncha pas, articula en se dirigeant vers la porte de sa chambre où cliquetait la machine à écrire :

— Le document n'est pas détruit... Je vous le laisse... Je reste ici jusqu'à ce que...

La porte était déjà ouverte et le secrétaire annonçait :

— C'est Londres qui...

Il avait l'appareil téléphonique à la main. Brown le saisit, commença à parler anglais avec volubilité.

Maigret en profita pour s'en aller, avec le testament. Il pressa en vain le bouton d'appel de l'ascenseur, finit par s'engager dans l'escalier en se répétant :

— Surtout, pas d'histoires !

En bas, l'inspecteur Boutigues prenait le porto en compagnie du gérant. De beaux grands verres à dégustation, en cristal taillé. Et la bouteille à portée de la main !

8

Les quatre héritières

Boutigues sautillait au côté de Maigret et ils n'avaient pas parcouru vingt mètres que l'inspecteur annonçait :

— Je viens de faire une découverte !... Le directeur, que je connais depuis longtemps, surveille l'*Hôtel du Cap,* au Cap Ferrat, qui appartient à la même société...

Ils venaient de quitter le *Provençal.* Devant eux, la mer n'était, dans la nuit, qu'une mare d'encre d'où ne s'élevait même pas un frémissement.

A droite, les lumières de Cannes. A gauche, celles de Nice. Et la main de Boutigues désignait l'obscurité, au-delà de ces lucioles.

— Vous connaissez le Cap Ferrat ?... Entre Nice et Monte-Carlo...

Maigret savait. Maintenant, il avait à peu près compris la Côte d'Azur : un long boulevard partant de Cannes et finissant à Menton, un boulevard de soixante kilomètres, avec des villas et par-ci par-là un casino, quelques palaces...

La fameuse mer bleue... La montagne... Et toutes les douceurs promises par les prospectus : les orangers, les mimosas, le soleil, les palmiers, les pins parasols, les tennis, les golfs, les salons de thé et les bars américains...

— La découverte ?

— Eh bien ! Harry Brown a une maîtresse sur la Côte ! Le directeur l'a aperçu plusieurs fois au Cap Ferrat, où il lui rend visite... Une femme d'une trentaine d'années, veuve ou divorcée, très comme il faut, paraît-il, qu'il a installée dans une villa...

Est-ce que Maigret écoutait ? Il regardait le prestigieux panorama nocturne d'un air grognon. Boutigues poursuivait :

— Il va la voir environ une fois par mois... Et c'est la fable de l'*Hôtel du Cap*, parce que Brown y joue toute une comédie afin de cacher sa liaison... Au point que, quand il découche, il rentre par l'escalier de service et feint de n'être pas sorti de la nuit...

— C'est rigolo ! dit Maigret, avec si peu de conviction que l'inspecteur en fut tout déconfit.

— Vous ne le faites plus surveiller ?

— Non... oui...

— Vous irez voir la dame en question au Cap Ferrat ?

Maigret n'en savait rien ! Il ne pouvait penser à trente-six choses à la fois et pour l'instant il ne pensait pas à Harry Brown, mais à William. Place Macé, il serra négligemment la main de son compagnon, sauta dans un taxi.

— Suivez la route du Cap d'Antibes... Je vous arrêterai...

Et il se répéta, tout seul dans le fond de la voiture :

— William Brown a été assassiné !

La petite grille, l'allée de gravier, puis la cloche, une lampe électrique s'allumant au-dessus de la porte, des pas dans le hall, l'huis entrouvert...

— C'est vous ! soupira Gina Martini en reconnaissant le commissaire et en s'effaçant pour le laisser entrer.

On entendait une voix d'homme dans le salon.

— Venez... je vais vous expliquer...

L'homme était debout, un carnet à la main, et la vieille femme avait la moitié du corps engagée dans une armoire.

— M. Petitfils... Nous lui avons demandé de venir pour...

M. Petitfils était maigre, avec de longues moustaches tristes, des yeux fatigués.

— C'est le directeur de la principale agence de location de villas... Nous l'avons appelé pour prendre conseil et...

Toujours l'odeur de musc. Les deux femmes avaient retiré leurs vêtements de deuil et portaient des peignoirs d'intérieur, des savates.

Tout cela était désordonné. Est-ce que la lumière était moins forte que d'habitude ? On avait une impression de grisaille. La vieille femme sortait de son armoire, saluait Maigret, expliquait :

— Depuis que j'ai vu ces deux femmes à l'enterrement, je ne suis pas tranquille... Alors je me suis adressée à M. Petitfils pour lui demander son avis... Il pense comme moi qu'il faut dresser un inventaire...

— Un inventaire de quoi ?

— Des objets qui nous appartiennent et de ceux qui appartenaient à William... Nous travaillons depuis deux heures de l'après-midi...

Cela se voyait ! Il y avait des piles de linge sur les tables, des objets disparates par terre, des livres entassés, du linge encore dans des corbeilles...

Et M. Petitfils prenait des notes, dessinait des croix à côté de la désignation des objets.

Qu'est-ce que Maigret était venu faire là ? Ce n'était déjà plus la villa de Brown. Inutile d'y chercher son souvenir. On vidait les armoires, les tiroirs, on entassait tout, on triait, on classait.

— Quant au poêle, il m'a toujours appartenu, disait la vieille. Je l'avais déjà il y a vingt ans, dans mon logement de Toulouse.

— Vous ne voulez pas prendre quelque chose, commissaire ? questionnait Gina.

Il y avait un verre sale : celui de l'homme d'affaires. Il fumait, tout en prenant des notes, un cigare de Brown.

— Merci... Je voulais seulement vous dire...

Leur dire quoi ?

— ... que j'espère, demain, mettre la main sur l'assassin...

— Déjà ?

Cela ne les intéressait pas. Par contre, la vieille questionnait :

— Vous avez dû voir le fils, n'est-ce pas ?... Qu'est-ce qu'il dit ?... Qu'est-ce qu'il compte faire ?... Est-ce qu'il a l'intention de venir tout nous prendre ?...

— Je ne sais pas... Je ne le pense pas...

— Ce serait honteux ! Des gens aussi riches ! Mais ce sont justement ceux-là qui...

La vieille souffrait vraiment ! L'inquiétude lui était une torture ! Elle regardait toutes les vieilleries qui l'entouraient avec une peur atroce de les perdre.

Et Maigret avait la main sur son portefeuille ! Il lui suffirait de l'ouvrir, d'en tirer une petite feuille de papier, de la montrer aux deux femmes...

Est-ce que, du coup, elles ne danseraient pas d'allégresse ? Est-ce que même, la joie, trop forte, ne tuerait pas la mère ?

Des millions et des millions ! Des millions qu'elles ne tiendraient pas encore, certes, qu'il leur faudrait aller conquérir en Australie, à grand renfort de procès !

Mais elles iraient ! Il croyait les voir s'embarquer, descendre du paquebot, là-bas, avec des airs dignes !

Ce ne serait plus un M. Petitfils qu'elles auraient comme homme d'affaires, mais des notaires, des avoués, des avocats...

— Je vous laisse travailler... Je viendrai vous voir demain...

Il avait toujours son taxi à la porte. Il s'y installa sans donner d'adresse et le chauffeur attendit, tenant la portière entrouverte.

— A Cannes... dit enfin Maigret.

Et c'étaient toujours les mêmes pensées qui lui revenaient.

— Brown a été assassiné !

— Pas d'histoires !

Sacré Brown ! Si la blessure eût été à la poitrine, on eût pu croire qu'il s'était tué pour faire enrager le monde. Mais on ne se poignarde pas soi-même par-derrière, que diable !

Ce n'était plus lui qui intriguait Maigret ! Le

commissaire avait l'impression de le connaître aussi bien que s'il eût été son ami de toujours.

D'abord William en Australie... Un garçon riche, bien élevé, un peu timide, vivant chez ses parents, se mariant quand il en avait l'âge avec une personne convenable, lui faisant des enfants...

Ce Brown-là ressemblait assez au fils Brown... Il avait peut-être parfois du vague à l'âme, des désirs troubles, mais il devait les mettre sur le compte d'une mauvaise santé passagère et se purger.

Le même William en Europe... Les digues qui cédaient soudain... Il ne pouvait plus se contenir... Tout l'affolait, toutes les possibilités qui s'offraient à lui...

Et il devenait un familier de ce boulevard qui s'étend de Cannes à Menton... Yacht à Cannes... Parties de baccara à Nice... Et tout !... Et une paresse incommensurable à l'idée de retourner *là-bas*...

— Le mois prochain...

Et le mois suivant c'était la même chose !

Alors, on lui coupait les vivres. Le beau-frère veillait ! Tous les Brown, et les tenants et aboutissants des Brown se défendaient !

Lui était incapable de quitter son boulevard, la molle atmosphère de la Côte, son indulgence, sa facilité...

Plus de yacht. Une petite villa...

Dans le domaine des femmes, il descendait

aussi de quelques degrés, en arrivait à Gina Martini...

Un dégoût... Un besoin de désordre, de veulerie... La villa du Cap d'Antibes étant encore trop bourgeoise...

Il dénichait le *Liberty Bar*... Jaja... Sylvie...

Et il continuait le procès, là-bas, contre tous les Brown restés sages, pour les faire enrager... Il s'assurait par un testament qu'ils enrageraient encore après sa mort...

Qu'il eût tort ou raison, cela ne regardait pas Maigret. Et pourtant le commissaire ne pouvait s'empêcher de comparer le père au fils, à Harry Brown, correct, maître de lui, qui, lui, avait su faire la part des choses.

Harry n'aimait pas le désordre ! Harry avait quand même de troubles besoins.

Et il installait une maîtresse au Cap Ferrat... Une maîtresse comme il faut, sachant vivre, veuve ou divorcée, discrète...

Même à l'hôtel où il descendait on ne devait pas savoir qu'il avait découché !

Ordre... Désordre... Ordre... Désordre...

Maigret était l'arbitre, puisqu'il avait le fameux testament dans sa poche !

Il pouvait lâcher tout à l'heure quatre femmes dans la lice !

Quelque chose d'inouï, de haut en couleur que cette arrivée, *là-bas*, des quatre femmes de William Brown ! Jaja et ses pieds sensibles, ses chevilles enflées, ses seins fatigués... Sylvie qui, dans l'intimité, ne pouvait supporter qu'un peignoir sur son corps maigre...

Puis la vieille Martini et ses joues couvertes d'écailles de fard ! La jeune et son odeur de musc qui devenait comme une odeur *sui generis*.

On roulait le long du fameux boulevard. On apercevait les lumières de Cannes.

— Pas d'histoires !

Le taxi s'arrêtait en face des *Ambassadeurs* et le chauffeur questionnait :

— Où dois-je vous conduire ?

— Nulle part ! Ça va !

Maigret paya. Le casino était illuminé. Quelques voitures de maître arrivaient, car il était près de neuf heures du soir.

Et douze casinos s'illuminaient de même entre Cannes et Menton ! Et des centaines d'autos de luxe...

Maigret gagna à pied la ruelle où il constata que le *Liberty Bar* était fermé. Pas de lumière. Rien que la lueur d'un réverbère qui, à travers les vitres de la devanture, jetait une lueur trouble sur le zinc et sur la machine à sous.

Il frappa. Il fut étonné du vacarme que ses coups déclenchaient dans la ruelle. L'instant d'après une porte s'ouvrait derrière lui, celle du bar d'en face. Le garçon interpellait Maigret.

— C'est pour Jaja ?

— Oui.

— De la part de qui ?

— Du commissaire.

— Dans ce cas, j'ai une commission pour vous... Jaja reviendra dans quelques minutes... Elle m'a prié de vous dire de l'attendre... Si vous voulez entrer ici...

— Merci.

Il préférait faire les cent pas. Dans le bar d'en face, il y avait quelques clients qui marquaient plus ou moins mal. Une fenêtre s'ouvrit quelque part. Une femme, qui avait entendu du bruit, questionna timidement :

— C'est toi, Jean ?

— Non !

Et Maigret, en arpentant la ruelle de long en large, se répétait :

— Avant tout, il faut savoir qui a tué William !

Dix heures... Jaja qui n'arrivait pas... Chaque fois qu'il entendait des pas, Maigret tressaillait, espérait que son attente était finie... Mais ce n'était pas elle...

Pour horizon, cinquante mètres d'une ruelle mal pavée, large de deux mètres ; la vitrine éclairée d'un bar ; l'autre bar stagnant dans l'ombre...

Et de vieilles maisons mal d'aplomb, des fenêtres qui n'étaient même plus rectangulaires !

Maigret entra dans le bar d'en face.

— Elle ne vous a pas dit où elle allait ?

— Non ! Vous ne voulez pas prendre quelque chose ?

Et les consommateurs, à qui on avait dit qui il était, le regardaient des pieds à la tête !

— Merci !

Il marchait à nouveau, jusqu'au coin de la rue, frontière entre le monde honteux et les quais bien éclairés, animés d'une vie normale.

Dix heures et demie... Onze heures... Le premier café du coin s'intitulait *Harry's Bar.* C'est de là que Maigret avait téléphoné l'après-midi en compagnie de Sylvie. Il entra, se dirigea vers la cabine.

— Vous me donnerez la permanence de police... Allô !... Police ?... Ici, commissaire Maigret... Les deux oiseaux que je vous ai remis tout à l'heure n'ont pas reçu de visite ?

— Oui... Une grosse femme...

— Qui a-t-elle vu ?

— D'abord la femme... Puis l'homme... Nous ne savions pas... Vous n'aviez pas laissé d'instructions...

— Il y a combien de temps de cela ?

— Une bonne heure et demie... Elle a apporté des cigarettes et des gâteaux...

Maigret raccrocha nerveusement. Puis, sans reprendre haleine, il demanda le *Provençal.*

— Allô !... Ici, police... Oui, le commissaire que vous avez vu tout à l'heure... Voulez-vous me dire si M. Harry Brown a reçu une visite.

— Il y a un quart d'heure... Une femme... Assez mal habillée...

— Où était-il ?

— Il dînait, dans la salle à manger... Il l'a fait monter dans sa chambre...

— Elle est partie ?

— Elle descendait au moment où vous avez sonné.

— Très grosse, n'est-ce pas ? Très vulgaire ?

— C'est cela.

— Elle avait un taxi ?

— Non... Elle est partie à pied...

Maigret raccrocha, s'assit dans le bar et commanda une choucroute et de la bière.

— Jaja a vu Sylvie et Joseph... On lui a donné une commission pour Harry Brown... Elle revient en autocar, si bien qu'elle en a pour une demi-heure...

Il mangea en lisant un journal qui traînait sur une table. On annonçait le suicide de deux amants, à Bandol. L'homme était marié, en Tchécoslovaquie.

— Vous prendrez un légume ?

— Merci ! Qu'est-ce que je vous dois ?... Attendez !... Encore un demi... brune...

Et cinq minutes plus tard il se promenait à nouveau dans la ruelle, à proximité de la vitrine sombre du *Liberty Bar*.

Le rideau devait être levé, au casino. Soirée de gala. Opéra. Danses. Souper. Dancing. Boule et baccara...

Et tout le long des soixante kilomètres ! Des

centaines de femmes guettant les soupeurs. Des centaines de croupiers guettant les joueurs ! Et des centaines de gigolos, danseurs, garçons de café, guettant les femmes...

Des centaines encore d'hommes d'affaires, comme M. Petitfils, avec leur liste de villas à vendre ou à louer, guettant les hivernants...

De loin en loin, à Cannes, à Nice, à Monte-Carlo, un quartier plus mal éclairé que les autres, des ruelles, de drôles de bicoques, des ombres se faufilant le long des murs, des vieilles femmes et des jeunes, des machines à sous et des arrière-boutiques...

La lie...

Jaja n'arrivait pas ! Dix fois Maigret tressaillit en entendant des pas. A la fin, il n'osait plus passer devant le bar d'en face, dont le garçon le regardait avec ironie.

Pendant ce temps, il y avait des milliers, des dizaines de milliers de moutons qui broutaient l'herbe des Brown, sur les terrains des Brown, gardés par des valets des Brown... Des dizaines de milliers de moutons qu'on était peut-être en train de tondre — car aux antipodes il devait faire grand jour — pour charger des wagons de laine, puis des cargos de laine...

Et des marins, des officiers, des capitaines...

Et tous les bateaux qui s'en venaient vers l'Europe, les officiers qui vérifiaient les thermomètres (pour s'assurer que la température était favorable au chargement), et les courtiers, à Amsterdam, à Londres, à Liverpool, au Havre, qui discutaient des cours...

Et Harry Brown, au *Provençal*, qui recevait des câbles de ses frères, de son oncle, et qui envoyait des coups de téléphone à ses agents...

En lisant le journal, tout à l'heure, Maigret avait lu :

Le Commandeur des Croyants, chef de l'Islam, a marié sa fille au prince...

Et l'on ajoutait :

De grandes fêtes ont eu lieu aux Indes, en Perse, en Afghanistan, en...

Puis encore :

Un grand dîner a été donné à Nice, au Palais de la Méditerranée, où l'on remarquait...

La fille du grand prêtre qui se mariait à Nice... Une noce sur le boulevard de soixante et quelques kilomètres... Et là-bas, au diable, des centaines de milliers de gens qui...

Mais Jaja n'arrivait toujours pas ! Maigret connaissait tous les pavés, toutes les façades de la ruelle. Une petite fille aux cheveux en tresses faisait ses devoirs près d'une fenêtre.

Est-ce que l'autocar avait eu un accident ? Est-ce que Jaja devait aller ailleurs ? Est-ce qu'elle était en fuite ?

Derrière la vitre du bar, Maigret aperçut, en y collant le front, le chat qui se léchait les pattes.

Et toujours des réminiscences de journaux :

On mande de la Côte d'Azur que S. M. le roi de... est arrivée dans sa propriété du Cap Ferrat, accompagnée de...

On annonce de Nice l'arrestation de M. Graphopoulos qui a été interpellé au moment où, dans une salle de baccara, il venait de gagner cinq cents et quelques mille francs en se servant d'un sabot truqué...

Puis une petite phrase :

Le sous-directeur de la police des jeux est compromis.

Parbleu ! Si un William Brown cédait, est-ce qu'un pauvre bougre à deux mille francs par mois était obligé d'être un héros ?

Maigret était furieux. Il en avait assez d'attendre ! Il en avait surtout assez de cette atmosphère qui jurait avec son tempérament.

Pourquoi l'avait-on envoyé ici avec une consigne aussi ridicule que :

— *Surtout, pas d'histoires !*

Pas d'histoires ?... Et s'il lui plaisait de sortir le testament, un vrai testament, irréfutable ?... Et d'envoyer les quatre femmes *là-bas* ?...

Des pas... Il ne se retourna même plus !... Quelques instants plus tard, une clef tournait dans une serrure, une voix malade soupirait :

— Vous étiez là ?

C'était Jaja. Une Jaja fatiguée, dont la main tremblait en tenant la clef. Une Jaja en grande tenue, manteau mauve et souliers rouge sang de bœuf.

— Entrez... Attendez... Je vais allumer...

Le chat ronronnait déjà en se frottant à ses jambes hydropiques. Elle cherchait le commutateur.

— Quand je pense à cette pauvre Sylvie...

Enfin ! Elle avait déclenché la lumière. On y voyait. Le garçon de café d'en face avait sa vilaine tête collée à ses vitres.

— Entrez, je vous en prie... Je n'en peux plus... Toutes ces émotions...

Et la porte de l'arrière-boutique s'ouvrait. Jaja marchait droit vers le feu qui était rouge, fermait à demi la clef, changeait une casserole de place.

— Asseyez-vous, monsieur le commissaire... Le temps de me déshabiller et je suis à vous...

Elle ne l'avait pas encore regardé en face. Le dos tourné à Maigret, elle répétait :

— Cette pauvre Sylvie...

Et elle gravissait l'escalier de l'entresol, continuait à parler tout en se déshabillant, la voix un peu plus haute :

— Une bonne petite fille... Si elle avait voulu. Mais ce sont toujours celles-là qui paient pour les autres... Je le lui avais bien dit...

Maigret s'était assis, devant la table où il y avait des restes de fromage, de pâté de tête, de sardines.

Il entendait, au-dessus de sa tête, le bruit des souliers que Jaja enlevait, des pantoufles qu'elle attirait vers elle.

Puis la gigue qu'elle dansait pour enlever son pantalon, sans s'asseoir.

9

Bavardages

— Avec toutes ces émotions-là, j'ai les pieds qui vont encore enfler...

Jaja avait cessé un moment d'aller et venir. Elle s'était assise. Et, chaussures enlevées, elle passait ses mains sur ses pieds endoloris, d'un geste machinal, tout en parlant.

Elle parlait fort, parce qu'elle imaginait Maigret en bas, et elle fut tout étonnée de le voir paraître au-dessus de l'escalier.

— Vous étiez là ?... Ne faites pas attention au désordre... Depuis qu'il se passe toutes ces choses...

Maigret aurait été bien en peine de dire pourquoi il était monté. Ou plutôt, tout en écoutant sa compagne, il avait pensé soudain qu'il ne connaissait pas encore l'entresol.

Maintenant, il s'était arrêté au sommet de l'escalier. Jaja continuait à se caresser les pieds et elle parlait toujours, avec une volubilité croissante.

— Est-ce que seulement j'ai dîné ?... Je ne crois pas... Ce que ça a pu me retourner de voir Sylvie là-bas...

Elle avait passé un peignoir, elle aussi, mais sur son linge, qui était d'un rose vif. Du linge très court, orné de dentelles, qui faisait contraste avec sa chair grasse et trop blanche.

Le lit n'était pas fait. Maigret pensa que si on le voyait à ce moment il ferait difficilement croire qu'il n'était là que pour causer.

Une chambre quelconque, moins pauvre qu'on aurait pu le penser. Un lit d'acajou, très bourgeois. Une table ronde. Une commode. Par contre, le seau de toilette était au milieu de la pièce et la table était encombrée de fards, de serviettes sales, de pots de crème.

Jaja soupirait en mettant enfin ses pantoufles.

— Je me demande comment tout cela finira !

— C'est ici que William dormait quand...

— Je n'ai que cette pièce, et les deux du bas...

Dans un coin, il y avait un divan au velours usé.

— Il couchait sur le divan ?

— Cela dépendait... Ou bien c'était moi...

— Et Sylvie ?

— Avec moi...

La chambre était si basse de plafond que Maigret touchait celui-ci de son chapeau. La fenêtre était étroite, ornée d'un rideau de velours vert. La lampe électrique n'avait pas d'abat-jour.

Il ne fallait pas un grand effort d'imagination pour évoquer la vie habituelle de cette pièce ; William et Jaja qui montaient, presque toujours ivres, puis Sylvie qui rentrait et se glissait près de la grosse femme...

Mais les réveils ?... Avec la lumière vive du dehors...

Jaja n'avait jamais été aussi bavarde. Elle parlait d'une voix dolente, comme si elle espérait se faire plaindre.

— Je parie que je vais tomber malade... Si ! je le sens... Comme il y a trois ans, quand des marins se sont battus juste en face de chez moi... Il y en avait un qui avait reçu un coup de rasoir et qui...

Elle était debout. Elle regardait autour d'elle, cherchant quelque chose, puis oubliant ce qu'elle cherchait.

— Vous avez mangé, vous ?... Venez !... On va prendre quelque chose...

Maigret la précédait dans l'escalier, la voyait se diriger vers le fourneau, y remettre du charbon, tourner une cuiller dans une casserole.

— Quand je suis seule, je n'ai pas le courage

de cuisiner... Et quand je pense que Sylvie est en ce moment...

— Dites donc, Jaja !

— Quoi ?

— Qu'est-ce qu'elle vous a dit, Sylvie, cet après-midi, pendant que j'étais dans le bar à servir un client ?

— Ah oui !... Je lui demandais ce que c'était les vingt mille... Alors elle répondait qu'elle ne savait pas, que c'était une combine de Joseph...

— Et ce soir ?

— Quoi, ce soir ?

— Quand vous êtes allée la voir au poste...

— C'est toujours la même chose... Elle se demande ce que Joseph a bien pu fricoter...

— Il y a longtemps qu'elle est avec ce Joseph ?

— Elle est avec lui sans être avec lui... Ils ne vivent pas ensemble... Elle l'a rencontré quelque part, sans doute aux courses, en tout cas pas ici... Il lui a dit qu'il pouvait lui rendre des services, lui amener des clients... Evidemment, avec son métier !... C'est un garçon qui a de l'instruction, de l'éducation... N'empêche que je ne l'ai jamais aimé...

Dans une casserole, il y avait un reste de lentilles que Jaja versa dans une assiette.

— Vous en voulez ?... Non ?... Servez-vous à boire... Moi, je n'ai plus le courage de rien... Est-ce que la porte de devant est fermée ?...

Maigret s'était assis à califourchon, comme l'après-midi. Il la regardait manger. Il l'écoutait parler.

— Vous comprenez, ces gens-là, surtout ceux des casinos, ont des combinaisons trop compliquées pour nous... Et, dans l'histoire, c'est toujours la femme qui se fait prendre... Si Sylvie m'avait écoutée...

— De quelle mission Joseph vous a-t-il chargée, ce soir ?

Elle fut un moment à avoir l'air de ne pas comprendre, à rester la bouche pleine en regardant Maigret.

— Ah oui... Pour le fils...

— Qu'est-ce que vous êtes allée lui dire ?

— Qu'il s'arrange pour les faire relâcher, sinon...

— Sinon quoi ?

— Oh ! je sais bien que vous ne me laisserez pas tranquille... Mais vous reconnaîtrez que je n'ai jamais été méchante avec vous... Je fais tout ce que je peux, moi !... Je n'ai rien à cacher.

Il devina la cause de cette volubilité, de cette voix geignarde.

En chemin, Jaja s'était arrêtée dans quelques bistrots, pour se donner du courage !

— D'abord, c'est toujours moi qui ai retenu Sylvie, et qui l'ai empêchée de se mettre tout à fait avec Joseph... Puis, quand tout à l'heure j'ai compris qu'il y avait quelque chose...

— Eh bien ?

Ce fut plus comique que tragique. Tout en mangeant, elle se mit à pleurer ! Et c'était un spectacle grotesque que celui de cette grosse femme en peignoir mauve, devant son plat de lentilles, pleurnichant comme un gosse.

— Ne me bousculez pas... Laissez-moi penser !... Si vous croyez que je m'y retrouve... Tenez ! donnez-moi à boire...

— Tout à l'heure !

— Donnez-moi à boire et je dirai tout...

Il céda, lui versa un petit verre d'alcool.

— Qu'est-ce que vous voulez savoir ?... Qu'est-ce que je disais ?... J'ai vu les vingt mille francs... Est-ce que c'est William qui les avait dans sa poche ?...

Maigret devait faire un effort pour garder sa lucidité car, petit à petit, un décalage se faisait, peut-être en partie à cause de l'atmosphère, mais davantage à cause du discours de Jaja.

— William...

Il comprit soudain ! Jaja avait cru que les vingt mille francs avaient été volés à Brown au moment de l'assassinat !

— C'est ce que vous avez pensé tout à l'heure ?

— Je ne sais plus ce que j'ai pensé... Tenez ! voilà que je n'ai plus faim... Vous n'avez pas de cigarettes ?

— Je ne fume que la pipe.

— Il doit en rester quelque part... Sylvie en avait toujours...

Et elle cherchait en vain dans les tiroirs.

— Est-ce qu'on les met toujours en Alsace ?

— Qui ?... Quoi ?... De quoi parlez-vous ?...

— Des femmes... Comment cela s'appelle-t-il encore ?... La prison de... Cela commence par Hau... De mon temps...

— Quand vous étiez à Paris ?

— Oui... On ne parlait que de cela... Il paraît que c'est tellement sévère que les prisonnières essaient toutes de se suicider... Et j'ai encore lu il n'y a pas bien longtemps dans le journal qu'il y a même des condamnées de quatre-vingts ans... Il n'y a plus de cigarettes... Sylvie a dû les emporter...

— C'est elle qui a peur d'aller là-bas ?

— Sylvie ?... Je ne sais pas... J'ai pensé à cela dans l'autobus, en revenant... Il y avait une vieille femme devant moi et...

— Asseyez-vous...

— Oui... Il ne faut pas faire attention... Je n'en peux rien... Je ne suis bien nulle part... Qu'est-ce qu'on disait ?...

Et, avec une expression d'angoisse dans les yeux, elle se passait la main sur le front, faisait tomber sur sa joue une mèche de cheveux roussâtres.

— Je suis triste... Donnez-moi à boire, dites !...

— Quand vous m'aurez dit ce que vous savez...

— Mais je ne sais rien du tout !... Qu'est-ce que je saurais ?... J'ai d'abord vu Sylvie... Et encore ! le flic est resté à côté de moi, à écouter ce que nous disions... J'avais envie de pleurer... Sylvie m'a dit tout bas en m'embrassant que c'était la faute de Joseph...

— Puis vous avez vu celui-ci ?

— Oui... Je vous l'ai déjà dit... Il m'a envoyée à Antibes pour prévenir Brown que si...

Elle cherchait ses mots. On eût dit qu'elle avait de soudaines absences, à la façon de certains ivrognes. A ces moments-là elle regardait Maigret avec angoisse, comme si elle eût éprouvé le besoin de se raccrocher à lui.

— Je ne sais plus... Il ne faut pas me torturer... Je ne suis qu'une pauvre femme... J'ai toujours essayé de faire plaisir à tout le monde...

— Non ! Un instant...

Maigret lui reprenait des mains le verre qu'elle venait de saisir, car il prévoyait le moment où, ivre morte, elle s'endormirait.

— Harry Brown vous a reçue ?

— Non... Oui... Il m'a dit que, s'il me retrouvait sur son chemin, il me ferait mettre sous clef...

Et soudain, triomphante :

— Hossegor !... Non !... Hossegor, c'est autre chose... C'est dans un roman... Haguenau... Voilà !...

C'était le nom de la prison dont elle avait parlé auparavant.

— Il paraît qu'elles n'ont même pas le droit de parler... Est-ce que vous croyez que c'est vrai ?...

Jamais elle n'avait donné à Maigret une pareille impression d'inconsistance. A ce point qu'à certains moments on pouvait se demander si elle ne retombait pas en enfance.

— Il est évident que, si Sylvie est complice, elle ira à...

Alors, plus que jamais, et plus vite, elle se mit à parler, et des roseurs de fièvre montèrent à ses joues.

— Ce soir j'ai quand même compris bien des choses... Les vingt mille francs, maintenant, je sais ce que c'est... C'est Harry Brown, le fils de William, qui les a apportés pour payer...

— Pour payer quoi ?

— Tout !

Et elle le regardait avec un air de triomphe, de défi.

— Je ne suis pas si bête que j'en ai l'air... Quand le fils a su qu'il existait un testament...

— Pardon ! Vous connaissiez ce testament ?

— C'est le mois dernier que William nous en a parlé... On était ici tous les quatre...

— C'est-à-dire lui, vous, Sylvie et Joseph...

— Oui... On avait bu une bonne bouteille, parce que c'était l'anniversaire de William... Et on parlait d'un tas de choses... Quand il avait bu, il racontait des choses sur l'Australie, sur sa femme, son beau-frère...

— Et qu'est-ce que William a dit ?

— Qu'ils seraient tous bien farces à sa mort ! Il a tiré le testament de sa poche et il nous en a lu une partie... Pas tout... Il n'a pas voulu lire le nom des deux autres femmes... Il a annoncé qu'un jour ou l'autre il le déposerait chez un notaire...

— Il y a un mois de cela ? Est-ce que, à ce moment, Joseph connaissait Harry Brown ?

— Avec lui, on ne sait jamais... Il connaît beaucoup de monde, à cause de sa profession...

— Et vous croyez qu'il a averti le fils ?

— Je ne dis pas ça ! Je ne dis rien... Seulement, on ne peut pas s'empêcher de penser... Voyez-vous, ces gens riches-là, ça ne vaut pas mieux que les autres... Alors, supposez que Joseph soit allé lui raconter tout... Le fils Brown, avec l'air de rien, dit que ça lui ferait plaisir d'avoir le testament... Mais, comme William pourrait en écrire un autre, il vaudrait mieux que William soit mort aussi...

Maigret n'y prit garde. Elle s'était servi à boire. Il était trop tard pour l'empêcher de vider son verre. Le commissaire, quand elle poursuivit, reçut au visage une affreuse haleine saturée d'alcool.

Et elle se penchait ! Elle se rapprochait de lui ! Elle prenait des airs mystérieux, importants !

— ... Mort aussi !... C'est bien ça que je disais ?... Alors, on parle d'argent... Pour vingt mille francs... Et peut-être encore vingt mille autres qui auraient été versés après... On ne sait jamais... Je dis ce que je pense... Parce que ces choses-là ne se paient jamais en une fois... Quant à Sylvie...

— Elle ne savait rien ?

— Puisque je vous affirme qu'on ne m'a rien dit !... Est-ce qu'on n'a pas frappé à la porte ?...

Elle était raidie soudain par la peur. Pour la rassurer, Maigret fut obligé d'aller entrouvrir l'huis. Quand il revint, il s'aperçut qu'elle en avait profité pour boire à nouveau.

— Je ne vous ai rien dit... Je ne sais rien... Vous comprenez ?... Je suis une pauvre femme, moi ! Une pauvre femme qui a perdu son mari et qui...

Et voilà qu'elle éclatait à nouveau en sanglots, ce qui était plus pénible encore que tout le reste.

— D'après vous, Jaja, qu'est-ce que William aurait fait ce jour-là entre deux heures et cinq heures ?

Elle le regarda sans répondre, sans cesser de pleurer. Pourtant ses sanglots étaient déjà moins sincères.

— Sylvie était partie quelques instants avant lui... Est-ce que vous ne croyez pas qu'ils auraient pu, par exemple...

— Qui ?

— Sylvie et William...

— Qu'ils auraient pu quoi ?

— Je ne sais pas, moi !... Se rencontrer quelque part... Sylvie n'est pas laide... Elle est jeune... Et William...

Il ne la quittait pas des yeux. Il poursuivit avec une indifférence feinte :

— Ils se retrouvent quelque part où Joseph les guette et exécute son coup...

Elle ne dit rien. Par contre, elle regarda Maigret en fronçant les sourcils, comme si elle faisait un violent effort pour comprendre. Et cet effort s'expliquait. Elle avait les yeux troubles et ses pensées devaient, elles aussi, manquer de netteté.

— Harry Brown, mis au courant de l'histoire de testament, commande le crime... Sylvie attire William à un endroit propice... Joseph fait le coup... Ensuite, Harry Brown est invité à verser l'argent à Sylvie, dans un hôtel de Cannes...

Elle ne bougeait pas. Elle écoutait, sidérée, ou abrutie.

— Joseph, une fois pris, vous envoie dire à Harry que s'il ne le fait pas libérer il parlera...

Elle cria littéralement :

— C'est cela !... Oui, c'est cela...

Elle s'était levée. Elle haletait. Et elle semblait partagée entre le besoin de sangloter et celui d'éclater de rire.

Tout à coup, elle se prit la tête à deux mains,

d'un geste convulsif, mit ses cheveux en désordre, trépigna.

— C'est cela !... Et moi... Moi... moi qui...

Maigret restait assis, la regardant avec quelque étonnement. Est-ce qu'elle allait piquer une crise de nerfs, s'évanouir ?

— Moi... moi...

Il ne put prévoir le geste. Elle saisit soudain la bouteille, la lança par terre où elle s'écrasa avec fracas.

— Moi qui...

A travers les deux portes on ne voyait que la lueur d'un réverbère et on entendait le garçon d'en face mettre les volets. Il devait être très tard. On n'entendait plus les tramways depuis longtemps.

— Je ne veux pas, vous entendez ! glapit-elle. Non !... Pas cela !... Je ne veux pas... Ce n'est pas vrai... C'est...

— Jaja !

Mais l'appel de son nom ne la calmait pas. Elle était au summum de la frénésie et avec la même brusquerie qu'elle avait mise à saisir la bouteille elle se baissa, ramassa quelque chose, cria :

— Pas Haguenau... Ce n'est pas vrai !... Sylvie n'a pas...

De toute sa carrière, Maigret n'avait jamais assisté à un spectacle aussi ignoble. C'était un morceau de verre qu'elle tenait à la main. Et tout en parlant elle s'entaillait le poignet, juste à la place de l'artère...

Elle avait les yeux exorbités. Elle paraissait folle.

— Haguenau... je... Pas Sylvie !...

Un flot de sang gicla au moment où Maigret parvenait enfin à lui saisir les deux bras. Le commissaire en reçut sur la main et sur la cravate.

Pendant quelques secondes, Jaja, ahurie, désemparée, regarda ce sang rouge qui coulait et qui lui appartenait. Puis elle mollit. Maigret la soutint un instant, la laissa glisser par terre, chercha, du doigt, à serrer l'artère.

Il fallait une ficelle. Il regardait, affolé, autour de lui. Il y avait une prise de courant au bout de laquelle se trouvait un fer à repasser. Il l'arracha. Pendant ce temps, le sang coulait toujours.

Il revint enfin vers Jaja qui ne bougeait plus et enroula le fil à son poignet, serra de toutes ses forces.

Dans la rue, il n'y avait plus que la lumière du bec de gaz. Le bar d'en face était fermé.

Il sortit, la démarche indécise, se trouva dans l'air tiède de la nuit, se dirigea vers la rue plus éclairée qui s'amorçait à deux cents mètres.

De là, on voyait les rampes lumineuses du casino, les autos, les chauffeurs groupés près du port. Et les mâts des yachts qui bougeaient à peine.

Un sergent de ville était immobile au milieu du carrefour.

— Un médecin... Au *Liberty Bar*... Vite...

— Ce n'est pas la petite boîte qui... ?

— Oui ! la petite boîte qui ! hurla Maigret avec impatience. Mais vite, nom de Dieu !

10

Le divan

Les deux hommes montaient l'escalier avec précaution, mais le corps était lourd, le passage étroit. Si bien que Jaja, soutenue par les épaules et par les pieds, pliée en deux, heurtait tantôt la rampe, tantôt le mur, tantôt encore frôlait les marches.

Le docteur, en attendant de monter à son tour, regardait autour de lui avec curiosité, pendant que Jaja gémissait doucement, comme un animal inconscient. Un gémissement si faible, si étrangement modulé que, bien qu'il emplît le logement, on ne pouvait en repérer la provenance, comme il arrive pour la voix émise par les ventriloques.

Dans la chambre basse de l'entresol, Maigret

préparait le lit, puis donnait un coup de main aux agents pour soulever davantage Jaja qui était lourde, inerte, et qui pourtant avait l'air d'une grosse poupée de son.

Est-ce qu'elle se rendait compte de ses pérégrinations ? Savait-elle où elle était ? De temps en temps elle ouvrait les yeux, mais elle ne regardait rien, ni personne.

Elle gémissait toujours, sans une crispation des traits.

— Elle souffre beaucoup ? demanda Maigret au docteur.

C'était un petit vieillard bien gentil, méticuleux, effaré de se trouver dans un tel décor.

— Elle ne doit pas souffrir du tout. Je suppose qu'elle est douillette. Ou c'est la peur...

— Elle a conscience de ce qui se passe ?

— A la voir on ne le croirait pas. Et pourtant...

— Elle est ivre morte ! soupira Maigret. Je me demandais seulement si la douleur l'avait dégrisée...

Les deux agents attendaient des instructions et regardaient eux aussi autour d'eux avec curiosité. Les rideaux n'étaient pas fermés. Maigret aperçut, derrière la fenêtre d'en face, le halo plus pâle d'un visage dans une chambre sans lumière. Il baissa le store, attira un agent dans un coin.

— Vous allez m'amener la femme que j'ai fait mettre sous clef tout à l'heure. Une certaine Sylvie. Mais pas l'homme !

Et, à l'autre :

— Attendez-moi en bas.

Le docteur avait fait tout ce qu'il avait à faire. Après avoir placé des pinces hémostatiques, il avait remis l'artère en place avec des agrafes. Maintenant il regardait d'un air ennuyé cette grosse femme qui geignait toujours. Par contenance, il lui prenait le pouls, lui tâtait le front, les mains.

— Venez par ici, docteur ! dit Maigret qui était adossé à un angle de la pièce.

Et, tout bas :

— Je voudrais que vous profitiez de son immobilité pour faire une auscultation générale... Les organes essentiels, bien entendu...

— Si vous voulez ! Si vous voulez !

Il était de plus en plus ahuri, le petit docteur, et il devait se demander si Maigret était un parent de Jaja. Il choisit des appareils dans sa trousse et, sans se presser, mais sans conviction, il commença à prendre la tension artérielle.

Mécontent, il le fit trois fois, se pencha sur la poitrine, écarta le peignoir et chercha une serviette propre pour l'étendre entre son oreille et le sein de Jaja. Il n'y en avait pas dans la chambre. Il se servit de son mouchoir.

Quand il se redressa enfin, il était grognon.

— Evidemment !

— Evidemment quoi ?

— Elle ne fera pas de vieux os ! Le cœur est

archi usé. Par-dessus le marché, il est hypertrophié et la tension artérielle est effrayante...

— C'est-à-dire qu'elle en a pour... ?

— Ça, c'est une autre question... S'il s'agissait d'une de mes clientes, je la mettrais au repos absolu, à la campagne, avec un régime extrêmement sévère...

— Pas d'alcool, évidemment !

— Surtout pas d'alcool ! Une hygiène parfaite !

— Et vous la sauveriez ?

— Je n'ai pas dit cela ! Mettons que je la prolongerais d'un an...

Ils tendirent l'oreille en même temps, parce qu'ils venaient de remarquer le silence qui les entourait. Quelque chose manquait à l'ambiance et ce quelque chose était le gémissement de Jaja.

Quand ils se tournèrent vers le lit, ils la virent, la tête soulevée sur un bras, le regard dur, la poitrine haletante.

Elle avait entendu. Elle avait compris. Et c'est le petit docteur qu'elle semblait rendre responsable de son état.

— Vous vous sentez mieux ? questionna celui-ci pour dire quelque chose.

Alors, méprisante, elle se coucha à nouveau, sans mot dire, ferma les yeux.

Le médecin ne savait pas si on avait encore besoin de lui. Il se mit en devoir de ranger ses instruments dans sa trousse et il devait se tenir à lui-même un discours, car de temps en temps il hochait la tête d'un air approbateur.

— Vous pouvez aller ! lui dit Maigret quand il fut prêt. Je suppose qu'il n'y a plus rien à craindre ?

— Rien d'immédiat, en tout cas...

Lorsqu'il fut parti, Maigret s'assit sur une chaise, au pied du lit, bourra une pipe, car l'odeur de pharmacie qui régnait dans la chambre l'écœurait. De même cacha-t-il sous l'armoire, ne sachant où la mettre, la cuvette qui avait servi à laver la plaie.

Il était calme et lourd. Son regard était posé sur le visage de Jaja, qui paraissait plus bouffi que d'habitude. C'était peut-être parce que les cheveux, rejetés en arrière, étaient rares, découvrant un grand front bombé, orné d'une petite cicatrice au-dessus de la tempe.

A gauche du lit, le divan.

Jaja ne dormait pas. Il en était sûr. Le rythme de sa respiration était irrégulier. Les cils clos frémissaient souvent.

A quoi pensait-elle ? Elle savait qu'il était là, à la regarder. Elle savait maintenant que sa machine était détraquée et qu'elle n'en avait pas pour bien longtemps à vivre.

Qu'est-ce qu'elle pensait ? Quelles images passaient derrière ce front bombé ?

Et voilà que soudain elle se dressait, frénétique,

d'un seul mouvement, regardait Maigret avec des prunelles égarées, lui criant :

— Ne me laissez pas !... J'ai peur !... Où est-il ?... Où est-il, le petit homme ?... Je ne veux pas...

Il s'approcha d'elle pour la calmer et ce fut bien malgré lui qu'il dit :

— Reste tranquille, ma vieille !

Bien sûr, une vieille ! Une pauvre grosse vieille imbibée d'alcool, aux chevilles si enflées qu'elle marchait comme un éléphant.

Elle en avait fait, pourtant, des kilomètres et des kilomètres, là-bas, du côté de la porte Saint-Martin, sur un même bout de trottoir !

Elle se laissait docilement repousser la tête sur l'oreiller. Elle ne devait plus être ivre. On entendait le sergent de ville qui, en bas, avait trouvé une bouteille et qui se servait à boire, tout seul dans l'arrière-boutique. Du coup, elle tendit l'oreille, questionna, anxieuse :

— Qui est-ce ?

Mais d'autres bruits lui parvenaient. Des pas, dans la ruelle, encore loin, puis une voix de femme à bout de souffle — car elle marchait vite ! — qui questionnait :

— ... Pourquoi n'y a-t-il pas de lumière dans le bar ?... Est-ce que... ?

— Chut... Ne faites pas trop de bruit...

Et des petits coups frappés sur les volets. L'agent d'en bas qui allait ouvrir. Des bruits encore, dans l'arrière-boutique, et enfin les pas de quelqu'un qui s'élançait dans l'escalier.

Jaja, affolée, regardait Maigret avec angoisse. Elle faillit même crier en le voyant se diriger vers la porte.

— Pouvez aller, vous autres ! lança le commissaire en s'effaçant pour laisser entrer Sylvie.

Et celle-ci s'arrêtait soudain au milieu de la pièce, la main sur son cœur qui battait trop vite. Elle avait oublié son chapeau. Elle ne comprenait rien. Elle regardait le lit avec des prunelles fixes.

— Jaja...

En bas, celui qui avait déjà bu devait servir l'autre, car des verres s'entrechoquaient. Puis la porte d'entrée s'ouvrit et se ferma. Des pas s'éloignèrent dans la direction du port.

Maigret faisait si peu de bruit, bougeait si peu qu'on pouvait oublier sa présence.

— Ma pauvre Jaja...

Et pourtant Sylvie ne s'élançait pas. Quelque chose la retenait : le regard glacé que la vieille braquait sur elle.

Alors Sylvie se tournait vers Maigret, balbutiait :

— Est-ce que... ?

— Est-ce que quoi ?

— Rien... Je ne sais pas... Qu'est-ce qu'elle a ?...

Chose étrange : malgré la porte fermée, malgré

l'éloignement, on entendait le tic-tac du réveille-matin, si rapide, si saccadé qu'on avait l'impression que, pris de vertige, il allait se briser.

Une nouvelle crise de Jaja était proche. On la sentait naître, animer peu à peu tout son gros corps mou, allumer ses yeux, dessécher sa gorge. Mais elle se raidissait. Elle faisait un effort pour se contenir tandis que Sylvie, désemparée, ne sachant que faire, ni où aller, ni comment se tenir, restait au milieu de la chambre, tête baissée, mains jointes sur sa poitrine.

Maigret fumait. Il était désormais sans impatience. Il savait qu'il avait fermé le cercle.

Il n'y avait plus de mystère, plus d'imprévu possible. Chaque personnage avait pris sa place : les deux Martini, la jeune et la vieille, dans la villa où elles procédaient à l'inventaire avec l'aide de M. Petitfils ; Harry Brown au *Provençal*, où il attendait sans fièvre le résultat de l'enquête, tout en dirigeant ses affaires par téléphone et télégraphe...

Joseph en prison...

Et voilà que Jaja se dressait enfin, à bout de patience, à bout de nerfs. Elle regardait Sylvie avec rage. Elle la désignait de sa main valide.

— C'est elle !... C'est ce poison !... C'est cette p... !

Elle avait hurlé le plus gros mot de son vocabulaire. Des larmes lui giclaient des paupières.

— Je la hais, entendez-vous !... Je la hais !... C'est elle !... Elle m'a donné longtemps le change !... Et savez-vous comment elle m'appelait ?... La *vieille* !... Oui ! La vieille !... Moi qui...

— Couche-toi, Jaja, dit Maigret. Tu vas te faire mal...

— Oh ! vous...

Et soudain, avec un renouveau d'énergie :

— Mais je ne me laisserai pas faire !... Je n'irai pas à Haguenau... Vous entendez !... Ou alors elle ira aussi... Je ne veux pas... Je ne veux pas...

Elle avait la gorge si sèche qu'elle cherchait instinctivement à boire autour d'elle.

— Va chercher la bouteille ! dit Maigret à Sylvie.

— Mais... elle est déjà...

— Va...

Et il marcha vers la fenêtre, s'assura qu'on ne les observait plus de la maison d'en face. En tout cas, il ne vit rien derrière les vitres.

Un bout de ruelle aux pavés inégaux... Un réverbère... L'enseigne du bar d'en face...

— Je sais bien que vous la protégez, parce qu'elle est jeune... Peut-être même qu'elle vous a déjà fait des propositions, à vous aussi...

Sylvie revenait, les yeux cernés, le corps las,

tendait à Maigret une bouteille de rhum à moitié pleine.

Et Jaja ricanait :

— Maintenant que je vais crever, je peux, n'est-ce pas ?... J'ai bien entendu le docteur...

Mais rien que cette idée-là la mettait en effervescence. Elle avait peur de mourir. Ses yeux en devenaient hagards.

Pourtant elle prit la bouteille. Elle but, avidement, en observant tour à tour ses deux compagnons.

— La vieille qui va crever !... Mais je ne veux pas !... Je veux qu'elle crève avant moi... Car c'est elle...

Elle s'arrêtait soudain de parler, comme quelqu'un qui perd le fil de ses idées. Maigret ne faisait pas un mouvement, attendait.

— Elle a parlé ?... Je suis sûre qu'elle a parlé, sinon on ne l'aurait pas relâchée... Tandis que moi, j'ai essayé de l'en faire sortir... Car ce n'est pas vrai que Joseph m'ait envoyée chez le fils, à Antibes... C'est moi seule... Comprenez-vous ?...

Mais oui ! Maigret comprenait tout ! Il y avait une bonne heure qu'il n'avait plus rien à apprendre.

Il désigna le divan, d'un geste vague.

— Ce n'était pas William qui couchait là, pas vrai ?

— Non, il ne couchait pas là !... Il couchait ici, dans mon lit !... William était mon amant !...

William venait pour moi, pour moi seule, et c'est elle, que je recevais par charité, qui occupait le divan... Vous ne vous en étiez pas encore douté ?...

Elle criait tout cela d'une voix rauque. Désormais, il n'y avait qu'à la laisser parler. Cela remontait du plus profond d'elle-même. C'était tout le vieux fond qui était mis au jour, la vraie Jaja, la Jaja toute nue.

— La vérité c'est que je l'aimais, qu'il m'aimait !... Il comprenait, lui, que si je n'ai pas reçu d'instruction, d'éducation, ce n'est pas ma faute... Il était heureux près de moi... Il me le disait... Cela lui faisait mal de partir... Et, quand il arrivait, c'était comme un écolier qu'on met enfin en vacances...

Elle pleurait tout en parlant et cela provoquait une étrange grimace que la lumière rose de l'abat-jour rendait plus hallucinante encore.

Surtout qu'elle avait tout un bras prisonnier d'un appareil !

— Et je ne me doutais de rien ! J'étais bête ! On est toujours bête dans ces cas-là ! C'est moi qui invitais cette fille, qui la retenais, parce que je trouvais que la maison était plus gaie avec un peu de jeunesse...

Sylvie ne bougeait pas.

— Regardez-la ! Elle me nargue encore ! Elle a toujours été la même et moi, grosse bête que j'étais, je prenais ça pour de la timidité... J'en étais tout émue... Quand je pense que c'est avec mes peignoirs qu'elle l'excitait en montrant tout ce qu'elle a à montrer !

» Car elle le voulait !... Elle et son maquereau de Joseph... William avait de l'argent, parbleu !... Et eux...

» Tenez ! le testament...

Et elle saisit la bouteille, but si goulûment qu'on entendait les glouglous dans sa gorge. Sylvie en profita pour regarder Maigret d'un air suppliant. Elle tenait à peine debout. On la voyait vaciller.

— C'est ici que Joseph l'a volé... Je ne sais pas quand... Sans doute un soir qu'on avait bu... William en avait parlé... Et l'autre a dû se dire que le fils paierait cher ce bout de papier...

Maigret écoutait à peine ce récit qu'il devinait. Par contre, il regardait la chambre, le lit, le divan...

William et Jaja...

Et Sylvie sur le divan...

Ce pauvre William qui, évidemment, devait faire la comparaison...

— Je me suis doutée de quelque chose quand, à la fin du déjeuner, j'ai vu Sylvie partir en lançant un coup d'œil à Will... Je ne le croyais pas encore... Mais tout de suite après son départ il a parlé de s'en aller à son tour... D'habitude, il ne quittait jamais la maison avant le soir... Je n'ai rien dit... Je me suis habillée...

La scène capitale, que Maigret avait reconstituée depuis longtemps ! Joseph qui venait rendre une courte visite et qui avait déjà le testament en poche ! Sylvie qui s'était habillée plus tôt que de coutume et qui avait mangé en costume de ville pour partir aussitôt après le repas...

Ces regards que Jaja surprenait... Elle ne disait rien... Elle mangeait... Elle buvait... Mais à peine William était-il parti qu'elle passait un manteau sur ses vêtements d'intérieur...

Plus personne dans le bar ! La maison vide ! La porte fermée...

Ils couraient les uns après les autres...

— Savez-vous où elle l'attendait ?... A l'*Hôtel Beauséjour*... Et moi, dans la rue, j'allais et je venais comme une folle... J'avais envie de frapper à leur porte, de supplier Sylvie de me le rendre... Au coin de la rue, il y a un marchand de couteaux... Et pendant qu'ils... pendant qu'ils étaient là-haut, je regardais la vitrine... Je ne savais plus... J'avais mal partout... Je suis entrée... J'ai acheté un couteau à cran d'arrêt... Je crois bien que je pleurais...

» Puis ils sont sortis ensemble... William était tout changé, comme rajeuni... Même qu'il a poussé Sylvie dans une confiserie et qu'il a acheté une boîte de chocolats...

» Ils se sont quittés devant le garage...

» Et c'est alors que je me suis mise à courir... Je savais qu'il allait retourner à Antibes... Je me suis placée sur son chemin, juste en dehors de la ville... Il commençait à faire noir... Il m'a vue... Il a arrêté l'auto...

» Et j'ai crié :

» — Tiens !... Tiens !... Voilà pour toi !... Et voilà pour elle !...

Elle retomba sur son lit, le corps recroquevillé, le visage baigné de larmes et de sueur.

— Je ne sais même pas comment il est parti... Il a dû me repousser, fermer la portière...

» J'étais toute seule au milieu de la route et j'ai failli être écrasée par un autobus... Je n'avais plus le couteau... Peut-être qu'il était resté dans l'auto...

Le seul détail auquel Maigret n'eût pas pensé : le couteau que William Brown, les yeux déjà voilés, avait sans doute eu la présence d'esprit de jeter dans un fourré !

— Je suis rentrée tard...

— Oui... Les bistrots...

— Je me suis réveillée dans mon lit, toute malade...

Et, dressée, à nouveau :

— Mais je n'irai pas à Haguenau !... Je n'irai pas !... Vous pouvez tous essayer de m'y conduire !... Le docteur l'a dit : je vais crever... Et c'est cette pu...

Il y eut un bruit de chaise remuée. C'était Sylvie qui attirait un siège jusqu'à elle et qui s'y évanouissait, assise de travers.

Un évanouissement lent, progressif, mais qui n'était pas simulé. Ses narines étaient pincées, cernées de jaune. Et les orbites étaient creuses.

— C'est bien fait pour elle !... cria Jaja. Laissez-la !... Ou plutôt non... Je ne sais pas... Je ne sais plus... C'est peut-être Joseph qui a tout organisé... Sylvie !... Ma petite Sylvie...

Maigret s'était penché sur la jeune femme. Il lui tapotait les mains, les joues.

Il voyait Jaja saisir la bouteille et boire à nouveau, pomper littéralement l'alcool qui la fit tousser éperdument.

Puis la grosse poupée soupira, enfonça sa tête dans l'oreiller.

Alors seulement il prit Sylvie dans ses bras, la descendit au rez-de-chaussée, lui mouilla les tempes d'eau fraîche.

La première chose qu'elle dit en ouvrant les yeux fut :

— Ce n'est pas vrai...

Un désespoir profond, absolu.

— Je veux que vous sachiez que ce n'est pas vrai... Je n'essaie pas de me faire meilleure que je suis... Mais ce n'est pas vrai... J'aime bien Jaja !... C'est lui qui voulait... Est-ce que vous comprenez ?... Il y avait des mois qu'il me regardait avec des yeux bouleversés... Il me suppliait... Est-ce que je pouvais refuser, alors que tous les soirs, avec d'autres...

— Chut ! Plus bas...

— Elle peut m'entendre ! Et, si elle réfléchissait, elle comprendrait... Je n'ai même rien voulu dire à Joseph, par crainte qu'il en profite... Je lui ai donné un rendez-vous...

— Un seul ?

— Un seul... Vous voyez !... C'est vrai qu'il m'a acheté des chocolats... Il était tout fou... Si fou que cela me faisait peur... Il me traitait comme une jeune fille...

— C'est tout ?

— Je ne savais pas que c'était Jaja qui l'avait... Non ! Je le jure ! Je croyais plutôt que c'était Joseph... J'avais peur... Il m'a dit que je devais retourner au *Beauséjour,* où quelqu'un me remettrait de l'argent...

Et, plus bas :

— Qu'est-ce que je pouvais faire ?

On entendait à nouveau gémir, là-haut. Les mêmes gémissements que tout à l'heure.

— Elle est très grièvement blessée ?

Maigret haussa les épaules, monta au premier étage, vit que Jaja dormait et que c'était dans son sommeil accablant qu'elle gémissait de la sorte.

Il redescendit, trouva Sylvie qui, les nerfs tendus, guettait les bruits de la maison.

— Elle dort ! souffla-t-il. Chut...

Sylvie ne comprenait pas, regardait avec effroi Maigret qui bourrait une nouvelle pipe.

— Restez près d'elle... Quand elle se réveillera, vous lui direz que je suis parti... pour toujours...

— Mais...

— Vous lui direz qu'elle a rêvé, qu'elle a eu des cauchemars, que...

— Mais... Je ne comprends pas... Et Joseph ?

Il la regarda dans les yeux. Il avait les mains dans les poches. Il en retira les vingt billets qui s'y trouvaient toujours.

— Vous l'aimez ?

Et elle :

— Vous savez bien qu'il faut un homme ! Sinon...

— Et William ?

— Ce n'était pas la même chose... Il était d'un autre monde... Il...

Maigret marchait vers la porte. Il se retourna une dernière fois, tout en agitant la clef dans la serrure.

— Arrangez-vous pour qu'on ne parle plus du *Liberty Bar*... Compris ?...

La porte était ouverte sur l'air froid du dehors. Car il s'exhalait du sol une humidité qui ressemblait à un brouillard.

— Je ne vous croyais pas comme ça... balbutia Sylvie qui ne savait plus que dire. Je... Jaja... Je vous jure que c'est la meilleure femme de la terre...

Il se retourna, haussa les épaules, se mit en marche dans la direction du port, s'arrêta un peu plus loin que le réverbère pour rallumer sa pipe éteinte.

11

Une histoire d'amour

Maigret décroisa les jambes, regarda son interlocuteur dans les yeux, lui tendit une feuille de papier timbré.

— Je peux ?... questionna Harry Brown avec un regard anxieux vers la porte derrière laquelle étaient son secrétaire et sa dactylo.

— C'est à vous.

— Remarquez que je suis prêt à leur donner une indemnité... Cent mille francs chacune par exemple... Vous me comprenez bien ?... Ce n'est pas une question d'argent : c'est une question de scandale... Si ces quatre femmes venaient *là-bas* et...

— Je comprends.

Par la fenêtre, on apercevait la plage de Juan-les-Pins, cent personnes en maillot étendues sur le sable, trois jeunes femmes qui faisaient de la culture physique avec un long et maigre professeur et un Algérien qui allait d'un groupe à l'autre avec un panier de cacahuètes.

— Est-ce que vous croyez que cent mille francs... ?

— Très bien ! dit Maigret en se levant.

— Vous n'avez pas bu votre verre.

— Merci.

Et Harry Brown, correct, pommadé, hésitait un instant, risquait :

— Voyez-vous, monsieur le commissaire, j'ai cru un moment que vous étiez un ennemi... En France...

— Oui...

Maigret se dirigeait vers la porte. L'autre le suivait en continuant avec moins d'assurance :

— ... le scandale n'a pas la même importance que dans...

— Bonsoir, monsieur !

Et Maigret s'inclina, sans tendre la main, sortit de l'appartement où se brassaient des affaires de laine.

— En France... En France... grommelait le commissaire en descendant l'escalier garni de tapis pourpres.

Eh bien, quoi, en France ? Comment s'appelait la liaison de Harry Brown avec la veuve ou la divorcée du Cap Ferrat ?

Une histoire d'amour !

Alors... L'histoire de William, avec Jaja, avec Sylvie ?...

Et Maigret, le long de la plage, était obligé de contourner des corps demi-nus. Il évoluait parmi des peaux bronzées, que mettaient en valeur des maillots colorés.

Boutigues l'attendait près de la cabine du professeur de culture physique.

— Eh bien ?

— Fini !... William Brown a été tué par un malfaiteur inconnu qui voulait lui voler son portefeuille...

— Mais pourtant...

— Quoi ?... Pas d'histoires !... Alors...

— Cependant...

— Pas d'histoires ! répéta Maigret en regardant l'eau bleue, toute plate, sur laquelle des canoës évoluaient. Est-ce qu'il y a place, ici, pour des histoires ?

— Vous voyez cette jeune femme en costume de bain vert ?

— Elle a les cuisses maigres.

— Eh bien ! s'écria Boutigues, triomphant, vous ne devineriez jamais qui elle est... La fille de Morrow...

— Morrow ?

— L'homme du diamant... Une des dix ou douze fortunes qui...

Le soleil était chaud. Maigret, en complet sombre, faisait tache parmi les peaux nues. De la terrasse du casino arrivaient des flots de musique.

— Vous prenez quelque chose ?

Boutigues, lui, était en gris clair, arborait un œillet rouge à sa boutonnière.

— Je vous avais bien dit qu'ici...

— Oui... Ici...

— Vous n'aimez pas le pays ?

Et d'un geste lyrique il montrait la baie d'un bleu inouï, le Cap d'Antibes et ses villas claires blotties dans la verdure, le casino jaune comme un chou à la crème, les palmiers de la promenade...

— Le gros que vous voyez là-bas, avec un petit maillot de bain rayé, est le plus important directeur de journal allemand...

Lors Maigret, dont les yeux étaient d'un gris glauque, après une nuit sans sommeil, de grogner :

— Et puis après ?

— Tu es content que j'aie fait de la morue à la crème ?

— Tu ne peux pas t'imaginer à quel point !

Boulevard Richard-Lenoir. L'appartement de Maigret. Une fenêtre ouvrant sur de maigres marronniers que ne garnissaient encore que quelques feuilles.

— Qu'est-ce que c'était, cette histoire ?

— Une histoire d'amour ! Mais, comme on m'avait dit *Pas d'histoires*...

Les deux coudes sur la table, il mangeait sa morue avec appétit. Il parlait la bouche pleine.

— Un Australien qui en a eu assez de l'Australie et des moutons...

— Je ne comprends pas.

— Un Australien qui a eu envie de faire la bombe et qui l'a faite...

— Après ?

— Après ?... Rien !... Il l'a faite et sa femme, ses enfants et son beau-frère lui ont coupé les vivres...

— Ce n'est pas intéressant !

— Pas du tout ! C'est ce que je disais... Il a continué à vivre là-bas, sur la Côte...

— Il paraît que c'est si beau...

— Magnifique !... Il a loué une villa... Puis, comme il y était trop seul, il y a amené une femme...

— Je commence à comprendre !

— Rien du tout... Passe-moi la sauce... Il y a trop peu d'oignons.

— Ce sont les oignons de Paris qui n'ont aucun goût... J'en ai mis une livre... Continue...

— La femme s'est installée dans la villa et y a installé sa mère...

— Sa mère ?

— Oui... Alors, cela n'a plus eu aucun charme et l'Australien est allé chercher de l'amusement ailleurs...

— Il a pris une maîtresse ?

— Pardon ! Il en avait déjà une ! Et sa mère. Il a déniché un bistrot et une bonne vieille qui buvait avec lui...

— Qui buvait ?

— Oui ! Quand ils avaient bu, ils voyaient le monde autrement... Ils en étaient le centre... Ils se racontaient des histoires...

— Et après ?

— La bonne vieille croyait que c'était arrivé.

— Qu'est-ce qui était arrivé ?

— Que quelqu'un l'aimait !... Qu'elle avait trouvé l'âme sœur !... Et tout !...

— Et tout quoi ?

— Rien... Cela faisait un couple ! Un couple du même âge... Un couple qui arrivait à se soûler en mesure...

— Qu'est-il arrivé ?

— Il y avait une petite protégée... Une nommée Sylvie... Le vieux s'est amouraché de Sylvie...

Mme Maigret regarda son mari avec reproche.

— Qu'est-ce que tu me racontes ?

— La vérité ! Il s'est amouraché de Sylvie et Sylvie ne voulait pas, à cause de la vieille... Puis elle a bien dû vouloir, parce que, quand même, l'Australien était le principal personnage.

— Je ne saisis pas...

— Cela ne fait rien... L'Australien et la petite se sont retrouvés à l'hôtel...

— Ils ont trompé la vieille ?

— Justement ! Tu vois que tu comprends ! Alors, la vieille, qui a compris, elle, qu'elle ne comptait plus pour rien du tout, a tué son amant... Cette morue est une merveille...

— Je ne comprends pas encore...

— Qu'est-ce que tu ne comprends pas ?

— Pourquoi on n'a pas arrêté la vieille. Car, en somme, elle a...

— Rien du tout !

— Comment, rien du tout ?

— Passe-moi le plat... On m'avait dit *Surtout, pas d'histoires...* Pas de drame, autrement dit ! Parce que les fils, la femme et le beau-frère de l'Australien sont des gens considérables... Des gens capables de racheter très cher un testament...

— Qu'est-ce que tu racontes maintenant avec ce testament ?

— Ce serait trop compliqué... Bref, une histoire d'amour... Une vieille femme qui tue son vieil amant parce qu'il la trompe avec une jeune.

— Et qu'est-ce qu'elles sont devenues ?

— La vieille en a pour trois ou quatre mois à vivre... Cela dépend de ce qu'elle boira...

— De ce qu'elle boira ?

— Oui... Parce que c'est aussi une histoire d'alcool...

— C'est compliqué !

— Encore plus que tu le crois ! La vieille, qui a tué, mourra dans trois ou quatre mois, ou cinq, ou six, les jambes enflées, les pieds dans un baquet.

— Dans un baquet ?

— Vois, dans le dictionnaire de médecine, comment on meurt de l'hydropisie...

— Et la jeune ?

— Elle est encore plus malheureuse... Parce qu'elle aime la vieille comme une mère... Puis parce qu'elle aime son maquereau...

— Son... ? Je ne te comprends pas... Tu as des façons de t'exprimer...

— Et le maquereau va perdre les vingt mille francs aux courses ! poursuivit Maigret, imperturbable, sans cesser de manger.

— Quels vingt mille francs ?

— Peu importe !

— Je m'y perds !

— Moi aussi... Ou plutôt, moi, je comprends trop... On m'a dit *Pas d'histoires*... C'est tout !... On n'en parlera plus... Une pauvre histoire d'amour qui a tourné mal...

Et soudain :

— Il n'y a pas de légume ?

— J'ai voulu faire des choux-fleurs, mais...

Et Maigret paraphrasa à part lui :

— Jaja a voulu faire de l'amour, mais...

Achevé d'imprimer en décembre 2011, en France
par CPI BUSSIÈRE
Dépôt légal 1re publication : mars 2004
N° d'imp. : 113638/4
Édition 03 – décembre 2011
LIBRAIRIE GÉNÉRALE FRANÇAISE – 31, rue de Fleurus – 75278 Paris Cedex 06